¡Dígame.

A combined BBC television and radio course
for beginners in Spanish

Course writers

José G. Escribano
Wolverhampton Polytechnic
Bob Winterflood
*Formerly of Ilford County
High School for Boys*

Syllabus adviser

Dennis Stockton
Ealing Technical College

Language assistant

Josefina Castelltort

Television Producer

Maddalena Fagandini

Radio Producers

Mick Webb
Alan Wilding

BBC BOOKS

¡Dígame! is a combined Television and Radio course for beginners in Spanish, first broadcast from September 1978. It consists of:

● 10 Television and 10 Radio programmes running concurrently followed by 10 programmes on Radio only.

● One course book covering programmes 1–20

● Three audio cassettes

● One set of Teachers' Notes

Published to accompany a series of programmes in consultation with the BBC Continuing Education Advisory Council

© The Authors and the British Broadcasting Corporation 1978
First published 1978. 12th impression 1987.
Published by BBC Publications, a division of BBC Enterprises Limited, Woodlands, 80 Wood Lane, London W12 0TT

Printed in England by Jolly & Barber Ltd, Rugby
ISBN 0 563 16226 0

This book set in 10/11 Baskerville

Contents

¡Dígame! is an expression you'll often hear in Spain. It means 'hello' when someone answers the phone; in a shop it means 'can I help you?' or 'what can I do for you?'. In other words, it's an invitation to you to *say* something, and this course is an invitation to you to speak Spanish.

The aim of *¡Dígame!* is to get you to *use* and to *understand* simple, everyday Spanish. If you follow the course, you should be able to cope with situations like finding your way, buying things, ordering meals, booking accommodation, asking if and when you can do things, telling people what you would like to do, and so on. In the second half of the course, you'll learn how to use the language on a more personal basis: how to chat to people about yourself, your job, your family and friends; how to say what you like and don't like doing, and how to accept (and refuse!) invitations.

The Programmes

To begin with, there'll be 10 weekly programmes on Television and 10 on Radio running concurrently. Both will cover the same basic language each week. These will be followed by a further 10 programmes on Radio only.

For the Television programmes we filmed in and around the town of Cuenca, about 150 miles south-east of Madrid. Each programme will contain short conversations illustrating the language we want you to learn and use, and these will be explained in the studio. There will also be a considerable amount of documentary film which will give you a broader picture of life in Spain. In these documentaries, the Spanish you'll hear will be rather more difficult than in the teaching sequences, and this is to help you get used to the sound of the spoken language and encourage your ability to understand it.

For the Radio programmes we went to Cuenca and to Barcelona. The recordings made there will form the 'core' of each programme, and will illustrate how people actually use the language. The programmes will also contain explanations of difficult points, and quizzes and exercises will give you the chance to practise aloud what you have learnt.

The Book

Each chapter contains the texts of the conversations with Spaniards that will be heard in the Television and Radio programmes. *A propósito* gives you some useful background information on Spain and Spanish customs; *Resumen* is a summary of the main teaching points; *Prácticas* gives you lots of practice (the answers are at the back of the book); and *Lectura* is a reading passage based on the Television documentary films (Chapters 1–10 only). Every fifth chapter is revision, giving you the chance to catch up and to digest everything introduced so far. The *Resumen* in Chapters 5, 10 and 15 summarises the language taught in the preceding four chapters and the *Resumen* in Chapter 20 is a summary of the main grammar points in the course.

At the back of the book there is a Spanish–English vocabulary of all the words contained in the chapters, except for those in the *Lecturas*. These *Lecturas* are for reading, and by 'reading' we mean 'comprehension': understanding the drift of what's written without having to understand every single word.

The audio Cassettes

Two of these contain a selection of the conversations recorded in Spain, and by listening to them in your own time you can become really familiar with the basic course material. Each programme will be preceded by a short pronunciation section focusing on the *sounds* of Spanish, and this will help you to improve your accent and intonation. Cassette 3 contains exercise material from the radio programmes to help you practise real-life Spanish conversations.

The Teachers' Notes

These are intended mainly for teachers running adult courses linked to *¡Dígame!*, though any teacher should find them useful. The notes contain suggestions on how the basic course can be expanded, by means of various activities, quizzes and class practice, into a weekly two-hour evening class.

Getting on with *¡Dígame!*

Two golden rules for learning a language are: *don't be too ambitious* and *keep at it*. It's important to realise that language learning is a gradual process and if in the early stages you find that what you can say and understand is very limited, don't worry – *there's nothing wrong with you*.

Beyond that, we'll simply make a few suggestions. Firstly, remember that the more time you can spend with the course the more you will learn. And it is certainly better to spend half an hour a day than to do one mammoth session a week.

If it helps you to be familiar with the content of the programme before the broadcasts, read through the relevant chapter first, but leave the exercises till later. On the other hand, if you look at and listen to the programmes first, this will give you an idea of the sound of the language before you see too much of it in print, and will help you to get your pronunciation right. *Then* go through

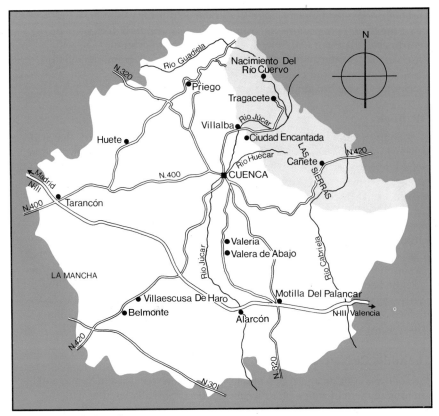

Mapa de la Provincia de Cuenca

the book chapter thoroughly, do the exercises and practise with the cassette whenever you can. And, if possible, look at and listen to the repeats of the broadcasts. But don't expect to be able to remember everything all at once.

Getting together with other people and using your Spanish is a great help, so try to attend an evening class linked to *¡Dígame!* if there is one in your area. If you would like an information leaflet giving details of linked courses, residential courses and other related opportunities for study, send a stamped addressed envelope to: BBC Education (CE), Villiers House, London W5 2PA.

Finally, if you want to carry on learning Spanish after *¡Dígame!*, a second-year course on Radio, *Por Aquí*, will take you further.

Asking for something

Vista general de Cuenca

¿tiene ...., por favor?	do you have ...., please?
¿hay un .... / una .... por aquí?	is there a .... near here?

Televisión

La Provincia de Cuenca, Cuenca Province, lies south-east of Madrid and north-west of Valencia, in the region of *Castilla la Nueva*. To the north of the province is a series of mountain ranges, *sierras*, with their extensive pine forests. To the south-west is the plain of *La Mancha*, with its vast fields of wheat and sunflowers, its vineyards and olive groves. The town of Cuenca, *la capital de la provincia*, is situated at the foot of the mountains, at the point where *el río Huécar* flows into *el Júcar*.

There are many places worth visiting, both in the province and in the town itself. Pedro wants to tour the area and needs a map. He goes to the tourist office, *la Oficina de Turismo*, and talks to the clerk.

Pedro	Buenos días.
El empleado	Buenos días. Dígame.
Pedro	¿Tiene un mapa de la provincia de Cuenca?
El empleado	Sí, mire, aquí tiene usted el mapa de la provincia de Cuenca.

Elvira is visiting Cuenca, and needs a map of the town. She too goes to *la Oficina de Turismo*.

Elvira	Buenos días.
El empleado	Buenos días, señorita. Dígame.
Elvira	¿Tiene un plano de Cuenca?
El empleado	Sí, aquí tiene usted el plano de Cuenca.
	(She also needs a list of hotels)
Elvira	¿Tiene también una lista de hoteles?
El empleado	Sí. *(he shows her an information leaflet listing all hotels and hostels)*
	Mire, en este folleto de datos informativos tiene usted la lista de todos los hoteles que hay en Cuenca – hoteles y hostales.

The town of Cuenca is in two distinct parts, the old town high up on the hill and flanked by deep canyons created by the two rivers that flow past it, and the new town lower down, where the rivers meet. The new town is the administrative centre of the province, with office buildings, banks, hotels and of course shops.

La señora Cardete has done some shopping in *el supermercado Comestibles Mayor*. At the cash desk she asks the manager for a carrier bag.

Sra Cardete	¿Tiene una bolsa, por favor?
El gerente	*(giving her one)* Sí, claro.
Sra Cardete	Gracias.

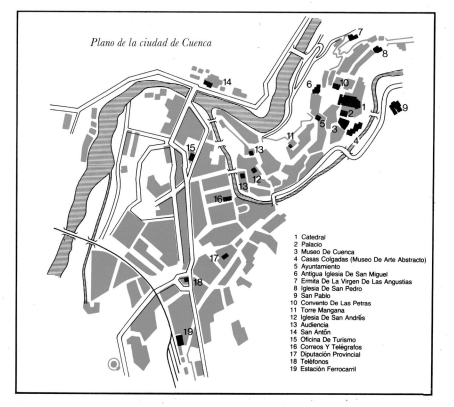

Plano de la ciudad de Cuenca

1 Catedral
2 Palacio
3 Museo De Cuenca
4 Casas Colgadas (Museo De Arte Abstracto)
5 Ayuntamiento
6 Antigua Iglesia De San Miguel
7 Ermita De La Virgen De Las Angustias
8 Iglesia De San Pedro
9 San Pablo
10 Convento De Las Petras
11 Torre Mangana
12 Iglesia De San Andrés
13 Audiencia
14 San Antón
15 Oficina De Turismo
16 Correos Y Telégrafos
17 Diputación Provincial
18 Teléfonos
19 Estación Ferrocarril

Segundo is sitting at the bar of *el Hotel Torremangana*. He's run out of matches and asks the barman for a light.

Segundo	¿Tiene fuego, por favor? *(the barman obliges)*
	(Marta joins Segundo for a drink; she asks him for the time)
Marta	¿Tiene hora?
Segundo	Sí, es la una menos cuarto.

buenos días	good morning
mire	look
aquí tiene usted	here you have
señorita	miss
sí, claro	yes, certainly; of course
gracias	thank you
es la una menos cuarto	it's a quarter to one
	(*lit.* one minus a quarter)

Vista de Barcelona

Radio

Barcelona was the setting for some of the radio interviews and a greater contrast with Cuenca is hard to imagine. Barcelona is Spain's second biggest city and the capital of the region of *Cataluña*. It's busy and cosmopolitan, as befits a Mediterranean seaport and a centre of industry and commerce. Yet it also boasts a great cultural tradition, some beautiful parks and an exhilarating night-life.

The first three conversations were recorded in the residential district of Bonanova. Shops are less common there than they are in the city centre so Jordi, who was looking for a bank, a tobacconist's and somewhere to get a snack, had to stop and ask some passers-by.

1 One woman tells him there's a snack-bar in the next street, *la calle de Balmes*.

Jordi	Buenos días, señora. ¿Hay una cafetería por aquí?
La mujer	Sí. Hay una en la calle de Balmes.
Jordi	Muchas gracias, señora.
La mujer	De nada.

2 From another passer-by he discovers there's a tobacconist's in a nearby square.

Jordi	Buenos días.
La mujer	Buenos días.
Jordi	¿Hay un estanco por aquí?
La mujer	Pues, sí. Hay uno en la Plaza de Gandía.
Jordi	Muchas gracias.
La mujer	De nada.

3 And if he goes to *la Plaza Bonanova*, there's a choice of two or three banks.

Jordi	¿Hay un banco por aquí?
La mujer	Sí, hay dos o tres en la Plaza Bonanova.
Jordi	Muchísimas gracias. Adiós.
La mujer	Adiós.

Cuenca: la Plaza Mayor

4 Eduardo is in Cuenca, near *la Plaza Mayor*, and he's thirsty.

Eduardo	¿Hay un bar por aquí?
La mujer	Sí, en la plaza.
Eduardo	¿En qué plaza?
La mujer	En la Plaza Mayor.
Eduardo	Gracias.
La mujer	De nada.

5 Also in the old part of Cuenca, Pilar wants to know if there's a grocer's shop handy.

Pilar	Por favor, señora, ¿hay una tienda de comestibles por aquí?
La mujer	Sí, hay una aquí, en la calle San Pedro.
Pilar	Muchas gracias.
La mujer	De nada.
Pilar	Adiós.
La mujer	Adiós.

6 Arcas is a tiny village just outside Cuenca. Some little girls who live there told Eduardo what there was in the village. There's no supermarket, not surprisingly no airport, and luckily no ghosts. There is, however, a church, and a shop – what does it sell?

Eduardo	¿Qué hay en Arcas?
Las niñas	Una iglesia . . . mm . . . una iglesia románica . . . mm . . . dos bares. Una tienda . . .
Eduardo	¿Hay supermercado en Arcas?
Las niñas	No, no.
Eduardo	¿Hay tiendas en Arcas?
Las niñas	Sí, una.
Eduardo	¿Qué hay en la tienda?
Las niñas	Eh, comestibles.
Eduardo	¿Hay aeropuerto en Arcas?
Las niñas	No.
Eduardo	¿Hay elefantes en Arcas?
Las niñas	No.
Eduardo	¿Hay fantasmas en Arcas?
Las niñas	No, no.

Arcas: la iglesia románica

señora	madam
muchas gracias	thank you very much
muchísimas gracias	
de nada	don't mention it
pues, sí	yes, of course

A propósito

Greetings *Por favor . . . gracias* One of the first things you'll notice about Spain is that people don't say 'please' and 'thank you' as often as the British do. It is simply not the custom. When you do say *gracias* you'll promptly be told it was nothing: *de nada*, or *no hay de qué*.

Adiós Although this usually means 'good-bye', people also use it more like 'hello' when they're passing a friend in the street, but can't stop for a chat.

Buenos días is used when you get up until about lunch time. *Buenas tardes* is used from lunch time until roughly 8pm, after which you say *buenas noches*. Unlike the English 'good night', this is also used as a greeting, so that when people say *buenas noches* to you, they don't necessarily think you're off to bed!

!Hola! is another way of saying 'hello', and it can be used at any time of day or night.

The second word of a greeting is often left out, so what you'll hear is *buenas*, or *muy buenas* (in English it's the 'good' that gets omitted).

Señor, Señora, Señorita This is a useful way of addressing people when you don't know their names. In writing, when followed by the surname, they're abbreviated to *Sr, Sra, Srta* (Mr, Mrs, Miss – and there's no Ms).

La provincia de Cuenca If you're visiting the province, a trip to the source of the river Cuervo *(el nacimiento del río Cuervo)* is worth the effort. Another fascinating place is *La Ciudad Encantada* (the Enchanted City). There's nothing man-made about it: it's a series of huge rocks which have been turned into strange shapes by the action of ice, wind and water over thousands of years.

Resumen

1 Asking if someone has something you need

¿tiene	un plano de Cuenca?
	una lista de hoteles?
	fuego?
	hora?

2 Asking if what you're looking for is nearby

| ¿hay | un banco | por aquí? |
| | una cafetería | |

The answer could be:

| sí, hay | un banco | en la calle de Balmes |
| | una cafetería | |

or sí, hay	uno	en la calle de Balmes
	una	
	dos o tres	

If there isn't one, you'll hear: no, no hay

3 Greetings . . . and good-bye

In the morning	buenos días
In the afternoon	buenas tardes
At any time	adiós
or, if you prefer	adiós, buenos días
	adiós, buenas tardes
And, to be more polite	buenos días, señora
	buenas tardes, señor
	adiós, señorita

4 Excuse me . . . please . . .

When going up to someone	**por favor**, señora, ¿hay una tienda de comestibles por aquí?
When asking a favour	¿tiene una bolsa, **por favor**?
. . . and thank you . . .	**gracias**
. . . very much	**muchas gracias** **muchísimas gracias**
After which you may hear:	de nada

● There are two words for 'a' (or 'an').

with words ending in *–o*	**un**	banco estanco plano	with words ending in *–a*	**una**	cafetería señora bolsa

There are also two words for 'the' when talking about one thing, person or place.

el	banco estanco plano	**la**	cafetería señora bolsa

However, not all words end with *–o* or *–a*. Some end with *–e*, some with a consonant, so you can't tell whether they're used with *un* or *el*, *una* or *la*. And notice the word *mapa*: it ends with *–a* but it's used with *un* or with *el*.

un **el**	elefante hotel mapa	**una** **la**	calle catedral mujer

When learning words like these (nouns) you just have to learn whether they're used with *un* or *el*, or with *una* or *la*. In the glossary at the back of the book you'll find them listed with either *el* or *la* in front of them.

●● Remember that in the written form, questions always begin with an upside down question mark. This may seem strange at first glance, but it is in fact quite useful, as in writing there is often nothing to tell you whether a sentence is a question or not until you get to the end of it. The same applies to exclamation marks.

Prácticas

1 You're in *la Oficina de Turismo* and you need certain things. Choose from the following words: *mapa, plano, lista, folleto, horario* (time-table), and fill in the correct words for 'a' – *un* or *una*.

¿Tiene
.... de hoteles?
.... de España?
.... de Barcelona?
.... de trenes?
.... de datos informativos?

2 You've just got off the train; you're dying for a coffee, then you'll need to change some money and find yourself a room for the night.

Ask the station clerk if a) there's a snackbar, b) a bank and c) a hotel in the vicinity. And don't forget the usual courtesies.

Usted	....
El empleado	Buenos días.
Usted	........................., ¿...?
El empleado	Sí, hay una aquí, en la estación.
Usted	¿...?
El empleado	Sí, hay dos o tres en la Avenida José Antonio, en el centro de la ciudad.
Usted	¿Y...?
El empleado	Pues sí, en el centro hay muchos.
Usted	....
El empleado	De nada, adiós.
Usted	....

Cuenca: la estación de tren

14

3 Next day you decide to find somewhere else to stay; you need a list of
hotels, a map of the town and also one of the province to help you plan your
excursions. What would you ask at *la Oficina de Turismo*? You'll get your clues
from what the clerk says.

Usted	....
El empleado	Buenos días. Dígame.
Usted	¿...................................?
El empleado	Sí, aquí tiene usted una lista de todos los hoteles de Cuenca.
Usted	¿...................................?
El empleado	Aquí tiene un plano de Cuenca.
Usted	¿...?
El empleado	Sí, mire, aquí tiene usted un mapa de la provincia.
Usted	....
El empleado	De nada.
Usted	................, ...
El empleado	Buenos días.

4 While you're in *la Oficina de Turismo*, you overhear some people
asking for information. Match their questions with the answers given by the
assistant.

Preguntas

1 ¿Hay un camping en Cuenca?

2 Por favor, señor, ¿tiene usted una
   lista de restaurantes de Cuenca?

3 ¿Hay un río en Cuenca?
4 ¿Qué hay en Cuenca para el
   turista?
5 ¿Hay discotecas aquí en Cuenca?

6 ¿Tiene hora, por favor?

Respuestas

a) Pues sí, hay dos: el río Júcar y el
    Huécar.
b) Hay muchas cosas: las Casas
    Colgadas, la catedral, hay dos
    museos . . .
c) Sí, es la una.
d) Sí, aquí tiene usted.

e) No, en Cuenca no hay, pero sí hay
    uno en Minglanilla.
f) Sí, hay tres, y muy modernas.

5 Now complete this puzzle. You'll find all the words you need in the first
part of the chapter.

1 Greeting used during the morning.
2 Usual reply when somebody thanks
     you.
3 Addressing a lady.
4 Excuse me.
5 You're very grateful.
6 Saying good-bye.
7 Like 3, but younger.
8 It's on the cover.

15

Lectura

Cuenca desde el río Júcar

CUENCA: *Una ciudad de contrastes*

This reading passage is not to be translated, but *understood* (see Introduction, p.5). The questions in English will give you several clues; afterwards you should be able to answer them.

Where are the pine trees, the sunflowers and the grapes?
Where's the main shopping centre in Cuenca?
What kind of menus do the restaurants have?
What's by the side of the river Júcar?
Which is the oldest street in Cuenca?

España tiene 15 regiones y 50 provincias. En el centro de España, entre las provincias de Madrid y Valencia, está la provincia de Cuenca.

La provincia de Cuenca tiene dos partes distintas: las sierras, al norte, con sus grandes extensiones de pinos; La Mancha, al sur, donde la agricultura es muy importante, con una vasta producción de girasoles y de uvas. Entre las sierras y La Mancha, en el centro de la provincia, está la capital, la ciudad de Cuenca. Tiene 34.000 habitantes.

¿Qué tiene de especial la ciudad de Cuenca? El alcalde, Sr Villalobos

Merino, responde: 'Cuenca tiene muchas cosas de especial. Cuenca es una ciudad pequeña, rodeada por dos ríos, el río Júcar y el río Huécar, con una construcción antigua en su parte alta, moderna en su parte baja, y que está muy abierta para todos aquéllos que la quieren visitar.'

La parte baja (moderna) de la ciudad es el centro administrativo y comercial de la provincia. Hay la Diputación Provincial, las delegaciones provinciales de varios Ministerios y las agencias provinciales de muchos bancos. En la Avenida José Antonio hay negocios de todo tipo: boutiques, peluquerías, confiterías y muchos bares; hay tiendas de fotografía artística, de cerámica, de guitarras y supermercados. En la ciudad moderna hay oficinas, hoteles de todas las categorías, restaurantes con menús internacionales y platos regionales; hay colegios, institutos y escuelas, clínicas, dentistas, médicos y un hospital. Y hay fábricas, la industria maderera. La madera es de pino, de los pinos de las sierras.

El alcalde: 'Cuenca es la capital de una provincia eminentemente agrícola, poco industrializada. Casi toda la industria que hay en Cuenca deriva de la transformación de la madera que es una de nuestras principales riquezas.'

Cuenca tiene su periódico, el *Diario de Cuenca*, y su radio local, *Radio Peninsular de Cuenca*. Pero Cuenca no es solamente una ciudad de negocios y oficinas. Cuenca tiene parques, una piscina municipal al lado del río Júcar, una plaza de toros y un campo de fútbol. ¡Los españoles son aficionados al fútbol!

Cuenca es también un centro cultural: en la Casa de Cultura hay conciertos y exposiciones, y la ciudad tiene varios teatros y cines. Para los jóvenes hay tres discotecas.

La ciudad antigua está en la parte alta. Aquí hay calles estrechas, balcones con flores y canarios, fuentes y escaleras. La calle más antigua es la calle San Pedro, con casas de antiguas familias nobles y, al final de la calle, las ruinas del castillo. Los conventos, las iglesias y la catedral, en la Plaza Mayor, reflejan el aspecto religioso de la historia de Cuenca. La Plaza Mayor es el centro de la ciudad antigua. ¿Qué hay en Cuenca para el turista?

El empleado de la Oficina de Turismo: 'En monumentos destaca la catedral, que por su estilo gótico anglo-normando es único ejemplar en España. Luego tiene también el Museo Arqueológico, el Museo de Arte Moderno, las Casas Colgadas . . .'

El Alcalde: 'Hay el atractivo de una ciudad antigua y una vida cultural importante, que se retrata, se refleja, en una serie de museos que están a disposición de todos.'

rodeada por dos ríos	surrounded by two rivers
y que está muy abierta para todos aquéllos que la quieren visitar	and that is very open to all those who wish to visit it
Diputación Provincial	seat of the provincial government
negocios	business establishments
casi toda	almost all
una de nuestras principales riquezas	one of our principal resources
periódico	daily newspaper
calles estrechas	narrow streets
destaca la catedral	the cathedral is outstanding
que se retrata, se refleja	which is depicted, is reflected
a disposición de todos	at everyone's disposal

Where is it?

Cuenca: el Parque de San Julián

¿dónde	**está** ....?		**where**	**is** ....?	
	están ....?			**are** ....?	
¿está	**lejos?**		**is it**	**far?**	
¿están			**are they**		

Televisión

El Parque de San Julián in Cuenca is a large tree-filled square in the centre of town, *el centro de la ciudad*. People go there to meet friends, have a drink in one of the bars, or just sit and read the newspaper. There is a hotel, *el Hotel Residencia Alfonso VIII*, the main post-office, *correos*, and several banks. The main thoroughfare, *la Avenida José Antonio*, is nearby.

Riánsares	*(to hotel porter)* Buenos días.
El portero	Buenos días.
Riánsares	¿Hay un banco por aquí?
El portero	Hay dos bancos, *(pointing to the right and then to the left)* uno a la derecha, otro a la izquierda, aquí mismo.
Riánsares	Gracias. Adiós.
Antonio	*(to hotel porter)* Buenos días.
El portero	Buenos días.
Antonio	Por favor, ¿la Avenida José Antonio?
El portero	*(pointing straight ahead)* Siga todo recto, la primera a la derecha, y allí está la Avenida José Antonio.
Antonio	Muchas gracias.
El portero	No hay de qué.

Juan	*(to man reading newspaper)* Buenos días.
El hombre	Buenos días.
Juan	¿Dónde está correos, por favor?
El hombre	*(pointing to the other side of the square)* Aquí en la plaza, al otro lado.
Juan	Gracias.
El hombre	Adiós.

Begoña	*(to hotel receptionist)* Por favor, ¿dónde están los servicios?
El recepcionista	*(indicating door opposite)* Allí enfrente.
Begoña	Muchas gracias.

In *la ciudad antigua*, the old part of town high up on the hill, is the main square, *la Plaza Mayor*. At one end is the cathedral, *la catedral*; at the other the town hall, *el Ayuntamiento*. All around are bars, restaurants, pottery and craft shops. There are also some very lovely old houses, many of which seem almost to overhang the deep canyons on either side of the hill. Of these, two are particularly famous and are always referred to as the Hanging Houses, *las Casas Colgadas*. One is a restaurant, *el Mesón Casas Colgadas*, and next door is *el Museo de Arte Abstracto*, a unique collection of Spanish abstract art. There are no banks or hotels in the old town, and very few *pensiones*.

Antonio	*(to girl standing on cathedral steps)* Buenos días.
La chica	Hola.
Antonio	¿Hay una pensión por aquí?
La chica	Sí, hay una pensión, la Pensión Dulcinea, en la calle San Pedro.
Antonio	¿Y dónde está la calle San Pedro?
La chica	Está aquí, a mano derecha.
Antonio	Gracias.
La chica	De nada.
Gloria	*(stopping her car to ask a passer-by)* Por favor, ¿dónde están las Casas Colgadas?
Segundo	*(pointing up the road)* Suba por aquí, después del puente a la derecha. Siga las indicaciones.
Gloria	¿Están muy lejos?
Segundo	No, con el coche a dos minutos.
Gloria	Muchas gracias.
Segundo	Adiós.
Gloria	Adiós.

CASAS COLGADAS >

Cuenca: parte antigua

aquí mismo	right here
siga	keep going
la primera a la derecha	the first on the right
allí	there
no hay de qué	don't mention it
suba por aquí	go up along here
después del puente	after the bridge
siga las indicaciones	follow the signs
con el coche	by car
a dos minutos	a couple of minutes away

Radio

1 Eduardo is looking for a tobacconist's. A man tells him there's one at the end of the street, on the right-hand side.

Eduardo	Buenos días.
El hombre	Buenos días.
Eduardo	¿Hay un estanco por aquí?
El hombre	Hay un estanco, eh, al final de la calle, a mano derecha.
Eduardo	Muchas gracias.
El hombre	De nada.

2 Pilar wants to know where the cathedral is and whether it's far away.

Pilar	Buenos días, señora.
La mujer	Buenos días.
Pilar	Por favor, ¿dónde está la catedral?
La mujer	Está en la Plaza Mayor.
Pilar	¿Está lejos?
La mujer	No, no está lejos, no.
Pilar	Bien, muchas gracias. Adiós, buenos días,
La mujer	Adiós, buenos días.

Cuenca: a la izquierda, la catedral; a la derecha, la calle Severo Catalina

3 Pilar has arranged to meet someone in a bar called *Los Elefantes*. She asks where it is and she's in luck – it's very close. Where is it in relation to the cathedral?

Pilar	Buenos días.
El hombre	Hola, buenos días.
Pilar	Por favor, ¿dónde está el bar Los Elefantes?
El hombre	Pues, está en la Plaza Mayor, enfrente de la catedral.
Pilar	¿Está lejos?
El hombre	No, no, muy cerca.
Pilar	Muchas gracias.
El hombre	De nada.
Pilar	Adiós, buenos días.
El hombre	Adiós, buenos días.

4 How much do Spanish children know about Spain? Pilar tested two boys on their knowledge of famous tourist attractions. If you haven't heard of them look at *A propósito*. What is the phrase that means 'I don't know'?

Pilar	¿Dónde está la Alhambra?
Jorge	La Alhambra está en Granada.
Pilar	¿Y el Generalife?
Jorge	¿El Generalife? No, no sé.
Pilar	Y la Giralda, ¿dónde está?
Juan Miguel	La Giralda está en Sevilla.
Pilar	La Giralda de Sevilla.
Juan Miguel	Sí.
Pilar	¿Y las Casas Colgadas?
Jorge	Están en Cuenca.
Pilar	¿Dónde están las famosas Ramblas?
Jorge	En Barcelona. Están en Barcelona.
Pilar	¿Y el Rastro?
Juan Miguel	Está en Madrid el Rastro.
Pilar	¿El Rastro está en Madrid?
Juan Miguel	Sí.
Pilar	¿No está en Cuenca el Rastro?
Juan Miguel	No.

Granada: la Alhambra

no sé	I don't know
la Alhambra	
el Generalife	
la Giralda	see *A propósito*
las Ramblas	
el Rastro	

A propósito

Correos (the post-office) This is short for *la Oficina de Correos*. Although it
ends with *–s*, it's always used as if singular and it doesn't have *el* or *un* in front of
it.

Correos and *Telégrafos* are two separate services. Although you'll find them in
the same building, there's no connection between them and they even charge
for one another's services. And don't go to the post-office to make phone calls;
la Telefónica is yet another service and in a different building.

Lista de Correos If you're going to be staying in a town but you don't know
the exact address, you can have letters addressed to you at the *Lista de Correos*,
plus the name of the town. You then collect your mail from the *Lista de Correos*
counter at the main post-office.

Opening hours are generally from 9 am to 2 pm and from 5 to 7 pm,
though in head post-offices you can buy stamps up till 9 pm.

El estanco (the tobacconist's) You can of course always buy stamps in *un
estanco*, though they don't provide any other postal services. They are easily
recognisable by their red and yellow signs (often bearing the words *Tabacalera
S.A.*), and until 1974 they could only be allocated to widows, which is why
tobacconists are nearly all women, and usually elderly.

Los servicios This is one of the many words for 'toilets'. You'll also hear *el retrete* (*lit.* the retreat), el lavabo (*lit.* the wash-basin), or the word *wáter* (pronounced with a 'v'), which comes from our own WC (water-closet). On the doors you'll often see *Señoras* ('Ladies') and *Caballeros* ('Gentlemen'). The word *caballero* is rather old-fashioned and is rarely used in other contexts.

De interés turístico Three of the places mentioned in this chapter are monuments to the Moorish occupation of Spain which lasted from the 8th to the 15th century.

La Alhambra, the 14th-century palace built on a hill overlooking Granada, is probably the finest example of Moorish architecture in the world, with its many towers, courtyards and fountains. Behind it lies *el Generalife*, the summer palace and gardens of the Moorish kings of Granada.

La Giralda was built by the Moors in Seville in the 12th century and was later incorporated into the cathedral. It's a 350-foot tower, crowned by a revolving statue of *la Fé* ('Faith'). Its name comes from the word *girar* (to revolve).

Las Ramblas is a long tree-lined avenue in Barcelona, running from *la Plaza de Cataluña* to the port. It has a wide pavement down the centre with cafés and stalls selling books and magazines, flowers, animals and birds. It is always thronged with people. *El Rastro* is the famous flea-market in the old quarter of Madrid. Nowadays it is used quite frequently by younger members of various political parties, distributing their propaganda.

Resumen

1 Asking where something is

To find out where something is, you can just name what you're looking for:

> por favor, ¿la Avenida José Antonio?

or you can ask:	**¿dónde está**	la catedral? la Giralda?
or, if there's more than one:	**¿dónde están**	los servicios? las Casas Colgadas?

Cuenca: la Avenida José Antonio

You're likely to be given

(a) the general direction:

around here that way	está(n)	por aquí por allí
on the right left	está(n)	a la derecha a la izquierda
on the right left hand side	está(n)	a mano derecha a mano izquierda
straight ahead	todo	recto seguido

(b) a more specific location:

opposite next to near to	el museo está	enfrente de al lado de cerca de	la catedral
on the other side of at the end of	el banco está	al otro lado de al final de	la calle

If the person you've asked doesn't know, you'll be told: no sé

2 Asking if it's far
¿está(n) lejos?

It could be that what you're looking for is

nearby or very near	no, está(n)	cerca muy cerca
far or very far	sí, está(n)	lejos muy lejos

And you might be told how long it takes to get there:

está(n)	a (unos) dos a (unos) cinco	minutos

● When referring to more than one thing, person or place, *el* becomes *los*, *la* becomes *las* and you add either

–*s* to the word if it ends with a vowel	el museo la lista	– los museos – las listas
or –*es* if it ends with a consonant	el señor la catedral	– los señores – las catedrales

●● **al** and **del**

a followed by *el* becomes *al*	**al** lado de la tienda **al** final de la calle
Similarly, *de* followed by *el* becomes *del*	al lado **del** bar después **del** puente

●●● **Numbers** For a complete list of numbers see page 222.

Prácticas

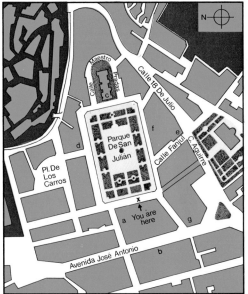

1 You are in *el Parque de San Julián* and are looking for the following places (the words for school, cinema and chemist's are new);

1 *la escuela*; 2 *correos*; 3 *el bar 'Boni'*; 4 *el Banco Hispano Americano*; 5 *el restaurante 'Los Claveles'*; 6 *el cine 'España'*; 7 *una farmacia*.

Fill in your questions and then match each place with the appropriate letter on the map, e.g.:

Usted	Por favor, ¿dónde está la escuela?
Un hombre	Todo recto, al otro lado de la plaza.
Usted	........................, ¿........................?
Un hombre	Está aquí en la plaza, a mano izquierda.
Usted	........................, ¿........................?
Un hombre	Aquí a mano derecha, enfrente de correos.
Usted	........................, ¿........................?
Un hombre	Está aquí cerca, la primera calle a la izquierda.
Usted	¿........................, ...?
Un hombre	Todo recto por la calle Fanjul, la primera a la izquierda.
Usted	¿........................, ...?
Un hombre	Después del Banco Hispano Americano, la primera a la izquierda, y allí está, al otro lado de la calle.
Usted	¿........................, ...?
Un hombre	Sí, hay una en la Avenida José Antonio.
Usted	¿Y........................?
Un hombre	La primera a la derecha, al final de la calle a mano izquierda.

1	C
2	D
3	F
4	A
5	E
6	B
7	J

25

2 Can you fill in this crossword puzzle by completing the questions and answers below?

(V – vertical)
(H – horizontal)

Pregunta	¿Hay (5) ...... banco por aquí?
Respuesta	Sí, hay uno aquí mismo, (1) .... del estanco.
Pregunta	¿(10V) .... está (13) ...... catedral?
Respuesta	La primera calle a la (2) .... y allí está la catedral.
Pregunta	¿Dónde (4) .... (14) ...... Hotel Torremangana?
Respuesta	La segunda a la (6) ...., al (12) .... (10H) ...... la calle.
Pregunta	¿Hay un hotel por aquí?
Respuesta	Sí, hay uno (11) .... mismo, (3) .... del banco.
Pregunta	¿Dónde está la piscina municipal?
Respuesta	(8) .... del puente, la primera a la derecha.
Pregunta	¿Dónde está la Plaza Mayor?
Respuesta	(7) .... por esta calle y luego (9) .... las indicaciones para la Ciudad Antigua.

3 Have a good look at *el Parque de Atracciones* **in Madrid,** and tick the correct answers.

1 ¿En qué parte de España está este Parque de Atracciones?
- a) Cerca de la playa
- b) En la capital de España ✓
- c) En la costa norte
- d) En la provincia de Cuenca

2 ¿Cuántas entradas hay en el Parque de Atracciones?
- a) Una
- b) Dos
- c) Tres ✓

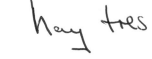 Hay tres

3 La Entrada del Batán está
- a) al fondo
- b) al lado
- c) a la derecha ✓   de la Entrada Principal
- d) enfrente ✓
- e) muy cerca

4 ¿Está el teatro lejos de la guardería infantil?
- a) Sí, está muy lejos
- b) No, está cerca ✓
- c) Sí, está al otro lado del Parque

5 ¿Dónde está la zona de descanso?
- a) En el centro del Parque
- b) A la derecha de la Entrada del Batán
- c) A la izquierda de la Entrada Principal ✓

6 ¿Hay un río en el Parque de Atracciones?
- a) Sí, cerca de las cascadas
- b) No, hay un canal ✓
- c) No, hay tres
- d) Sí, a la derecha de la Entrada del Robledal

7 En el Parque de Atracciones hay

	Sí	No
a) tres restaurantes		✓
b) cinco entradas		✓
c) dos cafeterías	✓	✗
d) tres bailes	✓	
e) un museo		✓
f) muchas atracciones	✓	

27

Cuenca: las Casas Colgadas

CUENCA: *Su ciudad antigua*

Who share a workshop at the top of an old house with some weavers?
Who owns the Museum of Abstract Art?
Who finds city life so complex?
Does Ángel Cruz think he has any friends?
Who has always been fascinated by the strange light?

Arquitectura atractiva, paisaje impresionante, luz extraordinaria. La ciudad antigua es un paraíso para el artista, para el pintor. La ciudad antigua es sobre todo tranquila. Hay pocas tiendas, muy poco tráfico; no hay hoteles ni bancos. Hay muchos pintores y artesanos en la ciudad antigua.

Pilar y Jesús son encuadernadores de libros. Tienen un taller en la parte alta de una vieja casa que comparten con unas tejedoras. Al final de la calle San Pedro, cerca del castillo, está el taller de Domingo Garrote, un carpintero que hace marcos para los cuadros del Museo de Arte Abstracto, que está en las Casas Colgadas. Éstas son dos casas muy viejas, restauradas recientemente. En una de las casas hay un restaurante, en la otra está el Museo.

La colección de cuadros y esculturas es pequeña. Es una colección privada. Solamente hay obras de artistas españoles. Pero es una colección importante. Algunos artistas tienen fama internacional. Hay pinturas de Antonio Saura, de Guerrero, de Tàpies, de Zóbel. Fernando Zóbel, el propietario del Museo, tiene obras en varios museos de Estados Unidos, en los museos principales de España – en Madrid, Barcelona, Bilbao – y naturalmente en Cuenca; tiene obras también en Filipinas, en Australia y en África del Sur.

En la calle San Pedro vive Antonio Saura. Saura tiene obras en museos y colecciones privadas de todo el mundo. ¿Por qué trabaja en Cuenca?

Cuenca: la calle Alfonso VIII

Antonio Saura: 'Trabajo en Cuenca porque es una ciudad que me gusta mucho; me atrae el paisaje, es un paisaje muy fuerte, y aquí me siento tranquilo para trabajar, como compensación a toda la vida tan compleja en las grandes ciudades.'

Es aquí, en Cuenca, donde Saura trabaja más intensamente.

Muchos artistas aprecian la tranquilidad de Cuenca. En la calle Alfonso VIII está el estudio de un pintor joven, Ángel Cruz. ¿Qué atractivo tiene Cuenca para el pintor?

Ángel Cruz: 'Para el pintor, Cuenca tiene el atractivo de su tranquilidad, el paisaje, su arquitectura y su ambiente general. Es un ambiente íntimo, es un ambiente tranquilo donde todos nos tratamos, nos conocemos; podemos decir que es un ambiente familiar.'

¿Tiene Ángel Cruz muchos amigos en Cuenca? '¡Creo que sí!'

Grupos de amigos se reúnen cada tarde en las tabernas de la Plaza Mayor, donde está también la casa del pintor Fernando Zóbel, al lado de la taberna Los Elefantes. Su estudio es muy tranquilo, muy austero, pero impecable. Zóbel tiene estudios también en Madrid y en Sevilla, pero donde más pinta es aquí. ¿Qué atrae a los pintores a Cuenca?

Fernando Zóbel: 'Evidentemente Cuenca es un sitio muy bonito, la ciudad es extraordinaria como estructura, es casi una escultura. El paisaje es impresionante, en las cuatro estaciones, y además hay una luz muy extraña que a mí siempre me ha fascinado.'

La luz es muy importante para Zóbel, la luz del otoño sobre todo.

El Museo de Arte Abstracto se integra íntimamente a las calidades estéticas de Cuenca, su arquitectura, su luz, su paisaje.

luz	light
encuadernadores de libros	bookbinders
que hace marcos para los cuadros	who makes picture frames
ambiente	atmosphere
todos nos tratamos	we all deal with one another
nos conocemos	we all know each other
podemos decir que	we could say
se reúnen	meet
en las cuatro estaciones	in all four seasons
además	in addition
otoño	autumn

Buying things

Cuenca: zona comercial en la parte nueva

¿tiene ....?	do you have ....?		
quiero	I want		
¿cuánto	vale? es?	how much	does it cost? does that come to?

Televisión

In the main shopping centre in Cuenca, in and around *la Avenida José Antonio*, you'll find clothes, shoes, leather articles, household goods, chemists and food shops. In *la Plaza de los Carros* there is a big covered market with stalls selling fresh food of all kinds and also flowers. There are of course shops in other parts of town for local residents.

El Sr Paños goes to *un estanco* to buy some postcards, stamps and a box of matches.

Sr Paños	*(choosing two postcards from the display stand)* Quiero estas dos postales y dos sellos.
La dependienta	¿Para España?
Sr Paños	No, para Inglaterra. *(he also has a letter to post, inland)* Y un sello de cinco pesetas.
La dependienta	*(giving him the stamps)* Dos de siete y uno de cinco.
Sr Paños	Y una caja de cerillas, por favor. ¿Cuánto es todo?
La dependienta	Treinta y una pesetas.
Sr Paños	*(pays; he now needs to find a post-box)* ¿Hay un buzón por aquí?
La dependienta	Al final de la calle a mano izquierda hay uno.
Sr Paños	Muchas gracias. Buenas tardes.
La dependienta	Servidora.

On the outskirts of town, not far from the railway station, a weekly street market is held every Wednesday, with stalls selling anything from paella pans to canaries, from whole smoked hams to curtain materials.

The stall-holders, from different towns in the surrounding region, usually have breakfast in a nearby bar. Next door to the bar is a well-stocked grocer's, *la Tienda de Comestibles Manola*, where Pilar has gone to buy bread, eggs, butter, some ham, a bottle of mineral water and two bottles of red wine.

Pilar	Buenos días.
Sra Manola	Hola, buenos días, señora. ¿Qué desea?
Pilar	Dos barras de pan, por favor.
Sra Manola	¿De cuarto o de medio?
Pilar	De medio.

Sra Manola	¿Así?
Pilar	Sí. ¿Tiene huevos?
Sra Manola	Sí. ¿Cuántos quiere?
Pilar	Seis, por favor.
Sra Manola	Vale. *(she brings Pilar the eggs)*
Pilar	Eh, y un paquete de mantequilla.
Sra Manola	¿Cómo lo quiere, grande o pequeño?
Pilar	Grande. *(the butter is brought)* Un poco de jamón . . .

Sra Manola	¿Serrano o york?
Pilar	Serrano.
Sra Manola	¿Como cuánto quiere?
Pilar	Cien gramos.
Sra Manola	*(weighing 100 grammes)* Aquí tiene, cien gramos. ¿Algo más?

Pilar	Una botella de agua mineral.
Sra Manola	¿Con gas o sin gas?
Pilar	Sin gas, y dos botellas de vino tinto.
Sra Manola	Vale. *(she brings the bottles to the counter)* ¿Algo más?
Pilar	Nada más, gracias. ¿Cuánto es?
Sra Manola	*(adding it all up)* Doscientas cincuenta pesetas.

La Sra Manola en su tienda

La Sra Martínez is also doing her shopping in *la Tienda de Comestibles Manola*.
She needs tomatoes, spinach, tangerines and some grapes.

Sra Manola	Buenas tardes. ¿Qué desea?
Sra Martínez	Un kilo de tomates.
Sra Manola	*(there are two different kinds)* ¿Cuál prefiere?
Sra Martínez	*(pointing to a crate)* Éstos.

Sra Manola	*(weighs 1 kilo)* ¿Algo más?
Sra Martínez	Un kilo de espinacas. ¿Cuánto cuestan?
Sra Manola	Treinta pesetas el kilo.
Sra Martínez	Vale.
Sra Manola	*(weighs the spinach)* ¿Algo más?
Sra Martínez	¿Tiene mandarinas?
Sra Manola	Sí, señora. ¿Cuántas quiere?
Sra Martínez	Medio kilo.
Sra Manola	*(weighs the tangerines)* ¿Algo más?
Sra Martínez	Sí, medio kilo de uva blanca. *(the grapes are also weighed)*

30
Ptas/Kg.

para	to; for
¿qué desea?	what would you like?
¿de cuarto o de medio?	a quarter (kilo) or a half?
¿así?	like this?
¿cuántos quiere?	how many do you want?
vale	right, OK; fine
(jamón) serrano; york	type of smoked ham; boiled ham
¿como cuánto quiere?	about how much do you want?
¿algo más?	anything else?
con gas; sin gas	fizzy; still
nada más	nothing else
¿cuál prefiere?	which do you prefer?
éstos	these

Radio

1 Pilar is out shopping.
She likes the look of one of the plates
in the window of a pottery shop
(una tienda de cerámica) and goes in to
find out how much it costs.

100 ptas

El tendero	Buenos días, señora. ¿Qué desea?
Pilar	Buenos días. Por favor, ¿cuánto vale este plato?
El tendero	Este plato cuesta cien pesetas.
Pilar	Muchas gracias.
El tendero	De nada. Adiós.

2 Later that day she goes back to the shop to find out if they have any postcards of Cuenca. How much does each postcard cost?

El tendero	Buenos días, señora. ¿Qué desea?
Pilar	Buenos días. Por favor, ¿tiene postales de Cuenca?
El tendero	Sí, están en la puerta. *(Pilar goes over to look)*
Pilar	Estas dos, por favor. ¿Cuánto es?
El tendero	Diez pesetas. *(Pilar pays)* Bien, gracias. Adiós.
Pilar	Adiós.

Cuenca: tienda de artesanía en la Plaza Mayor

3 Pilar also has to go to *una tienda de comestibles* to buy wine, eggs and a tin of sardines. She has to choose between white and red wine, large or standard eggs and a large or small tin of sardines.

Pilar	Buenos días.
El tendero	Hola, buenos días. ¿Qué desea?
Pilar	Una botella de vino, por favor.
El tendero	¿Blanco o tinto?
Pilar	Mmm, . . . tinto.
El tendero	Tinto. *(he gets a bottle down)* ¿Qué más quiere?
Pilar	Una docena de huevos.
El tendero	¿Extras o primeras?
Pilar	Extras.
El tendero	Extras. *(serves her)* ¿Qué más?
Pilar	¿Tiene sardinas?

El tendero	¿Una lata grande o pequeña?
Pilar	¿Cuánto vale la pequeña?
El tendero	Doce, y la grande, dieciocho.
Pilar	Pues, una grande.

El tendero	¿Algo más?
Pilar	No, nada más, gracias. ¿Cuánto es?
El tendero	Ciento veinte. *(Pilar pays)*
Pilar	Adiós, buenos días.
El tendero	Adiós, buenos días.

4 Out shopping again, Pilar buys tomatoes, a bottle of mineral water, and more sardines.

Pilar	Buenas tardes.
La tendera	Buenas tardes. ¿Qué desea?
Pilar	Por favor, una botella de agua mineral.
La tendera	¿Con gas o sin gas?
Pilar	Con gas.
La tendera	Aquí la tiene. ¿Alguna cosa más?
Pilar	¿Tiene tomates?
La tendera	Sí. ¿Cuántos quiere?
Pilar	Un kilo. *(the shopkeeper weighs the tomatoes)*

La tendera	Un kilo de tomates. ¿Algo más?
Pilar	¿Tiene sardinas en aceite?
La tendera	Sí. Aquí tiene usted. ¿Alguna cosa más quiere?
Pilar	Nada más, gracias. ¿Cuánto es?

La tendera	Pues, voy a hacer la cuenta. La lata de sardinas, cuarenta, los tomates cincuenta pesetas y . . . ¡ah! la botella de agua mineral, catorce. Vamos a ver, en total . . . ciento cuatro pesetas.
Pilar	Ciento . . . cuatro pesetas.
La tendera	Muy bien. Muchas gracias.
Pilar	Adiós, buenas tardes.
La tendera	Adiós.

104 Ptas

en la puerta	in the doorway
¿qué más?	what else?
¿alguna cosa más?	anything else?
en aceite	in oil
voy a hacer la cuenta	I'll add it up
vamos a ver	let's see
en total	altogether
muy bien	very good

A propósito

Dinero español Spain's official unit of currency is the *peseta* (written *pta* or, in the plural, *ptas*). There are four banknotes: 5000 *ptas* (mauve), 1000 *ptas* (green), 500 *ptas* (blue), and 100 *ptas* (brown).

There are 100 *céntimos* in a peseta, but the two coins 10 and 50 *céntimos* are almost valueless and are disappearing from circulation. The one peseta coin is similar to an English penny and is worth about $\frac{2}{3}$p at the current rate of exchange (155 pesetas to the pound). Occasionally you might come across the rare 2.50 *ptas* coin. The other three coins are silver and are worth 5, 25 and 50 *ptas*. The 5 *ptas* coin is known as *un duro*, and prices are often reckoned in duros *(veinte duros = cien pesetas)*.

In shops you'll often see the letters *p.v.p.* on price tags. They mean *precio de venta al público*, retail price.

The English pound is *la libra esterlina*; it's made up of *cien peniques*.

Weights and measures *Un kilo* is approximately 2.2 lb (for easy reckoning, *medio kilo* is about 1 lb). Prices of ham, cold meat, cheese, etc., are usually given for *cien gramos* (100 grammes).

Un litro is equivalent to 1.8 pints; *medio litro*=0.9 pints. (Beer is usually sold in measures of *una mediana*, one third of a litre, or *un quinto*, one fifth of a litre.)

Tiendas Some grocers', *tiendas de comestibles*, have the name *Ultramarinos* as a reminder of the times when they provided exotic food and spices from overseas. In larger stores, in *supermercados* and *hipermercados*, you'll often find a counter marked *Ultramarinos* stocked with goods from overseas.

In some regions, particularly in Catalonia, grocers' shops are called *colmados*, an old word meaning 'full-up'.

Words for most other shops indicate what they sell: *fruta* is sold in *una frutería*, *carne* in *una carnicería*, *pan* in *una panadería*, etc.

Resumen

1 When asking for something in a shop, you can simply name what you want:

una lata de sardinas,
dos barras de pan,
por favor

. . . or say you want it:

quiero | una lata de sardinas
dos barras de pan

. . . or ask if they've got it:

¿tiene | sardinas?
huevos?
mandarinas?

2 You will need to specify what quantity you want:

by saying how many	**seis** **diez** **una docena de**	huevos
by saying what it comes in	**una lata de** **una botella de** **un paquete de**	sardinas vino mantequilla
by giving the exact weight	**un kilo de** **medio kilo de** **cien gramos de**	tomates mandarinas jamón
or by saying 'just a little'	**un poco de**	jamón mantequilla queso

3 You may also need to say what kind you want

una botella de vino | **tinto**
blanco   una lata | **grande**
pequeña small.

agua mineral | **con**
sin | **gas**

. . . or you can point and say

you want this
or these
quiero | **esta** postal
estas dos postales

37

4 You will want to ask the price

. . . of one item	¿cuánto	vale? cuesta?
. . . of more than one	¿cuánto	valen? cuestan?
and what it all comes to	¿cuánto	es? es todo?

5 The shopkeeper will ask you . . .

what you want: ¿qué desea?

how much of something,
or how many you want: ¿cuánto
¿cuántos   quiere?
¿cuántas

and if you want anything else: ¿alguna cosa
¿algo   más?

If you don't, you say: **no, nada más**, gracias

● A word that *describes* what you want (e.g. *white* wine, *small* tin) changes its ending according to whether what it describes is used with *el* or *la*.

el | vino **blanco**
paquete **pequeño**   la | uva **blanca**
lata **pequeña**

Notice that *grande* doesn't change:

el paquete
la lata | **grande**

When referring to more than one thing, most of these words (adjectives) add –s.

dos paquetes | **grandes**
pequeños   dos latas | **grandes**
pequeñas

●● You can select what you want by pointing out which one, or ones:

(el plato) **este** plato   (la postal)   **esta** postal
(los platos) **estos** platos   (las postales) **estas** postales

And you can use these same words on their own, without naming the object.

éste   ésta
éstos   éstas

(When written, these words require an accent).

Prácticas

1 You wanted some bread, butter, ham, anchovies, vinegar, potatoes and matches, but your shopping list got a bit confused. Match the items with the most likely quantities.

cinco kilos de jamón york
un paquete de anchoas
una botella de patatas
dos barras de mantequilla
una lata de cerillas
una caja de pan
cien gramos de vinagre

2 You're off to the grocer's with only 300 pesetas to spend. What will you say to *el tendero*?

shopping list

1 kg. tomatoes
6 eggs
1 packet butter
2 tins sardines
1 bottle white wine
1 stick bread (small)
some apples

50 ptas/kg
MANZANAS

Mantequilla 250gms
Mantequilla 250gms

Vino Blanco

SARDINAS
SARDINAS
18 Ptas
12 Ptas

300 Ptas

El tendero	Buenos días. ¿Qué desea?
Usted	.... ¿.........................?
El tendero	Sí. ¿Cuántos quiere?
Usted	....
El tendero	Vale. ¿Algo más?
Usted	....
El tendero	Aquí tiene usted.
Usted	....
El tendero	Un paquete. ¿Algo más?
Usted	¿..........................?
El tendero	Sí. ¿Quiere una lata grande o pequeña?
Usted	¿...................................?
El tendero	Dieciocho, y la pequeña, doce.
Usted	*(you can just afford two large tins)*
	Pues, ..., ...
El tendero	Dos grandes. Muy bien.
Usted	....
El tendero	Aquí tiene. ¿Qué más quiere?
Usted	....
El tendero	¿De medio o de cuarto?
Usted	....
El tendero	¿Qué más?
Usted	*(you need to know how much you've spent so far)* ¿.........................?
El tendero	Doscientas setenta y cinco.
Usted	¿...........................?
El tendero	Sí. ¿Cuántas quiere?
Usted	¿...........................?
El tendero	Cincuenta pesetas el kilo.
Usted	*(you can only afford half a kilo)* Pues, ...
El tendero	Bien. Aquí tiene usted. ¿Alguna cosa más?
Usted	.... ¿.........................?
El tendero	Pues, doscientas setenta y cinco y veinticinco de las manzanas, trescientas pesetas. *(you give him the money)* Muchas gracias.
Usted	..............., ...
El tendero	Adiós, buenos días.

3 First you want to buy some pottery to take back home and then you need to find a tobacconist's.

40

Usted	....
El dependiente	Buenos días. ¿Qué desea?
Usted	¿..?
El dependiente	Este plato vale ciento diez pesetas.
Usted	¿Y ....?
El dependiente	Éste vale ciento treinta y cinco.
Usted	*(you want them both)* Quiero .... ¿..........................?
El dependiente	Doscientas cuarenta y cinco. *(you pay)* Muchas gracias.
Usted	¿..?
El dependiente	Sí, hay uno al final de la calle, a mano izquierda.
Usted	....
El dependiente	De nada. Adiós.
Usted	....

4 You've found the tobacconist's: you need a stamp for a letter *(una carta)* to England and a box of matches. Tell *la dependienta* what you want.

Mr J. Howard
23 Warwick Road
BRISTOL
Inglaterra

La dependienta	Hola, buenos días.
Usted	.... Quiero ....
La dependienta	¿Para postal o para carta?
Usted	....
La dependienta	Para carta son doce pesetas. ¿Algo más?
Usted	Sí, ...
La dependienta	Aquí tiene usted, una caja de cerillas.
Usted	¿................................?
La dependienta	Catorce pesetas.
Usted	....
La dependienta	Servidora. Adiós.

5 And now, where can you buy . . .?

cerillas

aspirina

pan

uvas

queso

carne

pasteles

pescado

FRUTERÍA

Estanco

Carnicería

TIENDA DE COMESTIBLES

FARMACIA

PANADERÍA

Pastelería PESCADERÍA

Lectura

Tiendas, mercados, supermercados y huertos

What has the railway station got to do with the Wednesday open market?
When do the stallholders arrive to set up their stalls?
What do they have for breakfast at seven o'clock in the morning?
Which stallholder thinks the market is 'sort of average'; which thinks it's 'quite good' and for whom is it one of the best?
Do people prefer supermarkets, or would they rather deal directly with a shopkeeper?
Do the market gardeners ever have any holidays?

Cuenca, como muchas ciudades españolas, tiene una gran variedad de tiendas y mercados especializados en la alimentación.

En la parte baja de la ciudad (la parte moderna), hay tocinerías, fruterías, carnicerías, pescaderías, tiendas de ultramarinos, etc. En la Plaza de los Carros hay un mercado cubierto. Allí se vende pan, pasteles, carne, pollos, aceitunas verdes y negras de todas clases, jamones, salchichas, etc.

Cerca de la estación de tren, todos los miércoles hay un mercado al aire libre. Por la mañana, muy temprano, llegan los vendedores para colocar sus puestos en este mercado. Muchos vienen de muy lejos, y después de colocar sus puestos, toman el desayuno en el Bar Piña, (cafés y coñac, ¡a las siete de la mañana!)

Fulgencio Cañada López tiene un puesto de jamones y quesos. Viene de Socuéllamos, en la provincia de Ciudad Real, a 150 kilómetros de Cuenca, más o menos. Para él, el mercado de Cuenca es 'bastante bueno'. Josefa Perol Concanes vende pantalones y ropa confeccionada. Viene de Alicante (que está a 307 kms) con su marido. Para ella Cuenca es un mercado 'regular'. Para Isabel Notario, que viene de Honrubia (a 80 kms de Cuenca) con su marido y sus hijos, todos los mercados son buenos, 'pero éste y Albacete son los mejores'. Isabel vende cortinas, colchas y mantelerías.

En este mercado al aire libre se vende toda clase de artículos: jamones, quesos, pipas de girasol, dulces, cerámica, ropa confeccionada, toallas, cortinas, juguetes, bolsas, calzados, cassetes de música pop, flores y canarios.

Cuenca tiene también supermercados. Uno de ellos es el Supermercado Comestibles Mayor. Hay gran variedad en conservas de carne, de pescados y de verduras; hay aceite (de girasol y de oliva), chocolates, galletas, jugos de frutas, licores y otros muchos productos. El Sr Martínez Garrido es el gerente. Dice que los supermercados son bastante populares, pero que los españoles '. . . continúan con la costumbre tradicional del trato directo, la conversación entre el tendero y el cliente.'

Muchas frutas y verduras frescas que se venden en la ciudad vienen de los huertos que hay en la Hoz del Huécar, una zona muy fértil cerca del río.

Emeterio Contreras Montero es de Cuenca y vive en la ciudad. Viene todos los días a la Hoz para trabajar en su huerto. Cultiva espinacas, cebollas, judías verdes y para seca, pimientos, tomates, zanahorias . . . toda clase de verduras.

Francisco Calvo Recuenco es también de Cuenca. Vive con su familia en la finca que tiene en la Hoz. Cultiva, entre otras cosas, patatas, pepinos, pimientos, tomates, judías, lechugas, zanahorias y cebollas.

El cultivo de las verduras requiere mucha atención. Los hortelanos trabajan desde la salida del sol hasta el anochecer. ¿Tienen vacaciones los hortelanos?

Emeterio: 'Pues no.' ¿Y Francisco? 'Ningunas, en todo el año.' Entonces, ¿es dura la vida del hortelano? 'Bien, se puede llevar', dice Emeterio. Francisco es más directo: 'No, no, no es dura.'

Sol. Aire fresco. Cultivar el huerto, lavar las verduras, ponerlas en cajas, llevarlas a la ciudad. A los hortelanos les gusta esta vida.

Francisco Calvo Recuenco

huertos	orchards, market gardens
tocinerías	shops selling pork products
se vende/venden	is/are sold
aceitunas, salchichas	olives, sausages
muy temprano	very early
ropa confeccionada	ready-to-wear clothes
cortinas, colchas y mantelerías	curtains, bedspreads and tablecloths
pipas de girasol, dulces	sunflower seeds, sweets
toallas, juguetes, calzados	towels, toys, shoes
galletas	biscuits
dice que	(he) says that
hoz	gorge
judías para seca, pimientos	beans for drying, peppers
zanahorias, pepinos, lechugas	carrots, cucumbers, lettuces
vive . . . en la finca	(he) lives . . . on the farm
desde la salida del sol hasta el anochecer	from sunrise until nightfall
duro, –a	hard
se puede llevar	it's bearable
ponerlas, llevarlas	put them, take them
les gusta	they like

Picking and choosing

prefiero	I prefer ....
deme	give me ....
¿tiene algo para ....?	do you have anything for ....?

Televisión

If you need toiletries, or cosmetics, you can go to *una droguería*, where you'll also find general goods such as detergents, air fresheners and insecticide sprays.

El Sr Paños needs to buy some toilet soap and paper tissues. He goes to *la Droguería Iris*, in the centre of town, where they always have goods on special offer. It's a family business, run by *el Sr García*.

Sr Paños	Buenos días.
Sr García	Buenos días. ¿Qué desea usted?
Sr Paños	Quiero una pastilla de jabón.
Sr García	(*showing him two brands on offer*) Mire, estas dos marcas las tenemos en oferta, treinta y cinco, y sesenta pesetas tres.
Sr Paños	(*choosing the soap at 35 pesetas*) Prefiero ésta.

Sr García	¿Alguna otra cosa más?
Sr Paños	Pues sí, deme un paquete de tisús.
Sr García	¿Lo quiere usted grande o pequeño?
Sr Paños	¿Cuánto vale el grande?
Sr García	Treinta y cinco pesetas.
Sr Paños	Sí, deme el grande, por favor.
Sr García	¿Alguna otra cosa más? *(making sure he hasn't forgotten anything)* ¿Cuchillas, masaje, loción, desodorante . . .?
Sr Paños	Pues no, no señor, muchas gracias. ¿Cuánto es?
Sr García	Setenta pesetas.

If on the other hand it's medicine you need, then you go to *una farmacia. El Sr Sánchez* needs something for his catarrh and some sticking-plasters. He goes to *una farmacia* opposite *el Parque de Santa Ana.*

Sr Sánchez	Buenos días.
El dependiente	Buenos días. ¿Qué desea usted?
Sr Sánchez	¿Tiene algo para el catarro?
El dependiente	*(offering a choice of syrup, suppositories or pastilles)* Tenemos en jarabe, supositorios, y pastillas. ¿Qué prefiere usted?
Sr Sánchez	Prefiero pastillas.
El dependiente	En pastillas. Pues, tome éstas, que éstas van muy bien. ¿Desea alguna cosa más?

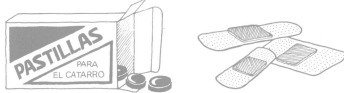

Sr Sánchez	También quiero tiritas.
El dependiente	Hay cajas de cinco, de diez y de veinte.
Sr Sánchez	Deme una caja de diez.
El dependiente	¿Desea alguna cosa más?
Sr Sánchez	No gracias. ¿Cuánto es?
El dependiente	Cuarenta y cinco.
Sr Sánchez	*(paying)* Cuarenta y cinco. Gracias. Adiós.
El dependiente	Adiós.

Cuenca: el Hotel Residencia Alfonso VIII

Hoteles When booking into a hotel, you may want *una habitación individual*, or *una habitación doble*, with or without a bath, *con o sin baño*. The price usually includes breakfast, *el desayuno*. Manuel and his wife need a room for the night. They go to *el Hotel Residencia Alfonso VIII*, in *el Parque de San Julián*.

El recepcionista	Hola, buenas tardes. ¿Qué desea?
Manuel	¿Tiene una habitación?
El recepcionista	¿Doble?
Manuel	Sí, doble.
El recepcionista	¿Para cuántas noches?
Manuel	Para una noche.
El recepcionista	Sí, tengo una habitación tranquila . . .
Manuel	¿Tiene baño la habitación?
El recepcionista	Sí, todas las habitaciones tienen baño.
Manuel	¿Y cuánto es?
El recepcionista	La habitación doble, son mil cinco pesetas con desayuno.
Manuel	Muy bien.
El recepcionista	¿Su documento, por favor? *(Manuel hands over his identity card)* ¿Quiere usted firmar? *(Manuel signs the registration form)* Muchas gracias. *(to the bell-boy)* La ciento una.
El botones	*(collecting the couple's suitcase)* ¿Me permite? Por aquí . . .

estas dos marcas las tenemos en oferta	we have these two brands on offer
sesenta pesetas tres	60 pesetas for three
tome éstas que éstas van muy bien	take these, they're very good
son mil cinco pesetas	that's (*lit.* they are) 1005 pesetas
¿quiere usted firmar?	will you sign (here)?
¿me permite?	may I?

Radio

1 Pilar goes into *una droguería* to buy batteries for her radio. There is a choice of three sizes and the small ones are 12 pesetas each. How would you say 'medium-sized' in Spanish?

El dependiente	Buenas tardes. ¿Qué desea, por favor?
Pilar	Buenas tardes. Quiero tres pilas para un transistor.
El dependiente	¿De qué voltaje?
Pilar	De un voltio y medio.
El dependiente	Hay tres tamaños: grande, pequeño y mediano.
Pilar	El pequeño, por favor.
El dependiente	Muy bien. *(he fetches the batteries)* Aquí las tiene.
Pilar	¿Cuánto es?
El dependiente	Son cada pila doce pesetas; total, treinta y seis pesetas.
Pilar	*(counting out money)* Veinticinco, treinta, treinta y cinco, y treinta y seis.
El dependiente	Muy bien, gracias.
Pilar	Adiós, buenas tardes.
El dependiente	Adiós, buenas tardes.

2 In *la farmacia* Pilar asks the assistant if he's got anything for her headache. She has to choose between two brands and between a sachet and a box. Which is stronger – Optalidón or aspirin?

El dependiente	Hola, buenos días, señora. ¿Qué desea usted?
Pilar	¿Tiene algo para el dolor de cabeza?
El dependiente	Aspirina.
Pilar	¿Tiene algo más?
El dependiente	Optalidón. Optalidón es más fuerte.
Pilar	Entonces, deme aspirina.
El dependiente	¿Un sobre de cuatro o una caja de veinte?
Pilar	Deme el sobre de cuatro.
El dependiente	Bien.
Pilar	¿Cuánto es?
El dependiente	Cuatro pesetas.
Pilar	Muchas gracias. *(she pays)*
El dependiente	Adiós.
Pilar	Adiós, buenos días.
El dependiente	Adiós, señora.
Pilar	Adiós.

3 Pilar wants to book a room in a hotel. Unfortunately the hotel's full, but the receptionist directs her to *el Hotel Bristol*, just 100 metres away. What is the phrase that means 'I'm sorry'?

Pilar	Buenas tardes.
La recepcionista	Buenas tardes. ¿Qué desea usted?
Pilar	¿Tiene una habitación para esta noche?
La recepcionista	No, lo siento, el hotel está completo.
Pilar	¿Hay otro hotel cerca de aquí?
La recepcionista	Sí, tiene usted el Hotel Bristol a cien metros de aquí
Pilar	¿En la plaza?
La recepcionista	Sí, allí enfrente en la plaza.

Pilar	Muchas gracias.
La recepcionista	De nada. Adiós.
Pilar	Adiós, buenas tardes.
La recepcionista	Adiós.

4 This time she's luckier. She decides on a double room with a bath, for two nights. The receptionist tells her the price of the room, inclusive of breakfast, and asks her to leave her passport and to sign the registration form, *la ficha*.

El recepcionista	Hola, buenas tardes. ¿Qué desea, señora?
Pilar	¿Tiene una habitación, por favor?
El recepcionista	¿Doble o individual?
Pilar	Doble.
El recepcionista	Eh, ¿para esta noche solamente?
Pilar	No, para dos noches.
El recepcionista	Eh, ¿con baño o sin baño?
Pilar	Con baño.
El recepcionista	Pues sí, sí que tengo.
Pilar	¿Cuánto es la habitación?
El recepcionista	Habitación doble, incluido desayuno, para dos personas, son mil cinco pesetas.
Pilar	Vale.
El recepcionista	Eh, ¿me deja su pasaporte, por favor?
Pilar	Sí, tenga. *(she gives him her passport)*
El recepcionista	Vale, gracias. ¿Me firma la ficha? *(Pilar signs)*
Pilar	Muchas gracias.
El recepcionista	De nada, de acuerdo, hasta luego.
Pilar	Adiós.

esta noche	tonight
sí que tengo	yes, I do have one
tenga	here you are
de acuerdo	OK, fine
hasta luego	see you later

A propósito

Perfumerías y droguerías In *una perfumería* you can buy *perfume* (perfume, scent) but in *una droguería* you can't buy *drogas* (drugs). You can however buy cosmetics, soap, detergents, paints, brushes and all sorts of household articles for cleaning and decorating. In short, it's a hardware store.

Farmacias There are no large chains of chemists' shops in Spain, as each chemist is allowed to own only one shop, but the regulations about what is dispensed are not very strict and you can buy many antibiotics and other medicines without a prescription. To find a chemist's which is open at night, look up the list of *farmacias de guardia* in the local newspaper, or on the door of the nearest chemist's, if that one's closed.

Hoteles y pensiones Hotels are graded according to the facilities they offer. They are given between one and five gold stars, with a special category called *de gran lujo*. *Pensiones* have to make do with silver stars, one to three. You'll also find a bewildering variety of *hostales, hotel residencias, moteles*, not to mention the State-run network of *paradores y albergues* (see p. 74). At the other end of the scale, *fondas* and *casas de huéspedes* (guest houses) offer the cheapest accommodation. With nearly 35 million tourists coming to Spain each year, the matter of accommodation has always been of great concern to the government. Up to 1978, all prices have been fixed by *el Ministerio de Información y Turismo*, though from 1978 onwards, this task is being taken over by *el Patronal de Hostelería* (the Hoteliers' Federation).

A list of prices must by law be displayed in each bedroom and at the reception desk. It is written in English, French, German and Spanish – even the small print. *Hojas de reclamaciones* (complaints forms) are required to be kept by hotels, bars, restaurants and petrol stations, so if you have a complaint, ask for this form. One copy (it's in triplicate) goes to *el Delegado de Turismo*, who will follow up the matter. You can write it in English, and keep a copy for yourself.

Resumen

1 Expressing preference

In shops you may be offered a choice, e.g. between different sizes:

¿cuál prefiere?

You could simply say:	**el grande,** **el pequeño,**	por favor
or say which you prefer:	**prefiero**	el grande el pequeño
or would like to be given:	**deme**	el grande el pequeño

Similarly, you may have to choose according to

brand:	tenemos estas dos marcas
price:	hay latas de veintiocho y de cuarenta pesetas
quantity:	un sobre de cuatro o una caja de veinte
kind:	agua mineral con gas o sin gas vino blanco o tinto

2 If you don't know the name of what you want, but you know what it's for, you can ask:

¿tiene algo para	el dolor de cabeza? el catarro?

3 Hotel bookings

To find out if there's a room available you ask:

¿tiene una habitación, por favor?

You'll be asked:	¿para cuánto tiempo?
or:	¿para cuántas noches?

You might answer: **para** | esta noche
| una noche
| dos noches
| una semana
| tres semanas

You'll also have to say what type of room you want:

una habitación | **individual** (para una persona)
| **doble** (para dos personas)

and whether you want it with **con** | **baño**
or without a bathroom: **sin** |

When you register you'll be asked to leave your passport:

¿me deja su pasaporte, por favor?
¿me quiere dejar su pasaporte?

or simply: su pasaporte, | por favor
su documento, |

and to sign the registration form: ¿me firma | la ficha?
¿quiere firmar |

and if you have any luggage: ¿tiene equipaje?

You may have your luggage with you
or in your car: sí, | está aquí
| está en el coche

● Just as you might say 'the small one' or 'the big one' in English, in Spanish you can say:

el grande   el plato grande
la doble   la habitación doble
dos de doce   *instead of*   dos sellos de doce
la de 25 pesetas   la lata de 25 pesetas
la ciento una   la habitación ciento una

Prácticas

1 Can you get this customer and the shop assistant to make sense?
The customer starts.

En una droguería

El cliente	El dependiente
1 Quiero una pastilla de jabón.	a) ¿De qué voltaje?
2 Adiós. Buenos días.	b) Muchas gracias.
3 Pequeña.	c) Aquí tiene. ¿Desea alguna cosa más?
4 Ochenta y tres.	d) ¿La quiere grande o pequeña?
5 Sí, cuatro pilas para un transistor.	e) Adiós, señor. Buenos días.
6 No, gracias. ¿Cuánto es?	f) Cuatro de un voltio y medio. ¿Algo más?
7 Buenos días.	g) Ochenta y tres pesetas.
8 De un voltio y medio.	h) Buenos días. ¿Qué desea?

50

En un hotel

2 Help these people to make their bookings. The diagram will show you
what they need and what *el recepcionista* says will give you the clues.

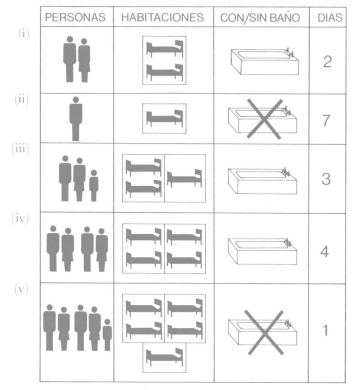

	PERSONAS	HABITACIONES	CON/SIN BAÑO	DIAS
(i)				2
(ii)				7
(iii)				3
(iv)				4
(v)				1

(i) *El recepcionista*   Buenos días, ¿qué desea?
   Sr López   ¿..................................?
   El recepcionista   Sí, ¿una habitación doble?
   Sr López   ....,................................
   El recepcionista   ¿Para cuántas noches?
   Sr López   ....
   El recepcionista   ¿La quiere con baño?
   Sr López   ......, ...

(ii) *El recepcionista*   Dígame.
   Antonio   ¿..................................?
   El recepcionista   Sí. ¿Para cuántas personas?
   Antonio   ....
   El recepcionista   ¿Y para cuántas noches?
   Antonio   ....
   El recepcionista   Muy bien. ¿Con o sin baño?
   Antonio   ....
   El recepcionista   Sí, tengo la cuarenta y dos. ¿Me deja su
                  pasaporte, por favor?

(iii) El recepcionista   Buenos días.
   Sr Martínez   ¿..................................?

El recepcionista	¿Dobles o individuales?
Sr Martínez	....
El recepcionista	¿Las quiere con o sin baño?
Sr Martínez	....
El recepcionista	¿Y para cuántas noches?
Sr Martínez	....
El recepcionista	Muy bien, señor, la doble es la doscientas una y la doscientas diez la individual.

(iv)
El recepcionista	Buenas tardes. Dígame.
Sra Pérez	¿...?
El recepcionista	Sí, señora. ¿Cuántas quiere?
Sra Pérez	....
El recepcionista	Sí. ¿Para cuántas noches?
Sra Pérez	
El recepcionista	Muy bien. La trescientas once y la trescientas doce. ¿Sus documentos, por favor?

(v)
El recepcionista	Buenas noches, señores. ¿Qué desean?
Sr García	¿...?
El recepcionista	Sí. ¿Cuántas quiere?
Sr García	....
El recepcionista	¿Todas con baño?
Sr García	........, ...
El recepcionista	¿Para cuántas noches?
Sr García	....
El recepcionista	Sí. ¿Me quieren dejar sus documentos, por favor?

3 Now what did *el recepcionista* say? Re-arrange his words to make sense.

Un hombre	¿Tiene una habitación individual?
El recepcionista	lo/tengo/siento/solamente/habitación/una/doble
	....
Un hombre	¿Cuánto vale una doble?
El recepcionista	la/pesetas/doble/desayuno/con/son/habitación/mil cinco
	....
Un hombre	Muy bien.
El recepcionista	noches/cuántas/para/¿/?
	....
Un hombre	Para dos noches.
El recepcionista	deja/por/pasaporte/favor/su/me/¿/?
	....
	aquí/firmar/quiere/me/¿/?
	....
	la/una/habitación/ciento
	....
Un hombre	¿Tiene baño la habitación?
El recepcionista	tiene/sí/habitación/la/baño
	....
Un hombre	Muchas gracias.

Lectura

Droguerías y farmacias

Who has a family business that is also part of a chain?
Who wants his customers to find the atmosphere agreeable and amusing?
Who gets all the cleaning done in the family?
Do the hostel washbasins have hot running water?
Do the fixed prices allow Sra Descalzo and Sra Huerta to make a profit?
Who comes out of it a bit better?
And who likes modern art as well as running a hotel?

En la Droguería-Perfumería Iris se puede comprar detergente, pintura, pasta de dientes, champú, loción, perfume y muchas otras cosas. Es un negocio familiar, pero pertenece también a una cadena de droguerías muy importante y tiene siempre artículos en oferta.

El Sr López Drake es farmacéutico analista, y su farmacia es muy especial. En el escaparate y en el interior de la farmacia se ven juguetes y muñecos; no se ve ningún medicamento, pero 'ilos tengo todos!', dice el Sr López. Su idea es que la persona que entra a comprar un medicamento tenga un ambiente agradable y entretenido. Con el Sr López trabajan nueve personas: tres en la farmacia, dos en el despacho, una para los servicios a domicilio y tres en el laboratorio.

Hoteles y hostales

En Cuenca hay varias clases de hoteles; de cuatro, tres y dos estrellas; hay también hostales, pensiones, fondas y casas de huéspedes. El Hotel Residencia Alfonso VIII es un hotel moderno, de tres estrellas, con servicio de cafetería, bar y televisión. Hay 52 habitaciones, todas con baño, teléfono y calefacción. Tiene restaurante para desayunos solamente. El jefe de recepción es el Sr Naval. El Hotel Torremangana es de cuatro estrellas. Hay 120 habitaciones, todas con cuarto de baño completo, mini-bar y televisión. Hay también un snack bar y un bar un poco más tranquilo (el 'bar inglés'), restaurante y salón de convenciones. El director gerente es el Sr Gómez.

En la calle Ramón y Cajal, uno al lado del otro, hay dos hostales de una estrella. La Sra María del Pilar Huerta Descalzo es la dueña, la propietaria, del Hostal del Pilar. Es un negocio familiar y la limpieza se hace entre todos los de la familia. Hay 11 habitaciones, todas con lavabo y agua fría. Hay agua caliente solamente en los cuartos de baño. Todo está impecablemente limpio.

La Sra Pilar Descalzo Vicente (tía de la Sra Huerta) es la propietaria del Hostal Residencia San Isidro. Es también un negocio familiar: 19 habitaciones con lavabo, muy limpias, y agua caliente en los cuartos de baño. La limpieza la hacen entre ella, su hija, y una chica de la calle. El Ministerio de Información y Turismo fija los precios.†

		Habitación individual	Habitación doble
****Hotel Torremangana	(con desayuno)	750	1.500
***Hotel Alfonso VIII	(con desayuno)	595	1.005
*Hostal del Pilar *Hostal San Isidro }	(sin desayuno)	150	250

† septiembre 1977

En los hostales las habitaciones son muy baratas. ¿Pueden los propietarios aumentar los precios? 'Sin la autorización del Ministerio de Información y Turismo, no', explican las señoras. A ellas no les compensan estos precios, pero a la Sra Huerta, como no tiene empleados, le sale un poquito mejor.

En el Hotel Torremangana trabajan 90 empleados. Al Sr Gómez le gusta el trabajo que tiene. Además le gusta el arte moderno. Compra cuadros de pintores modernos, 10 o 15 al año, más o menos, para el hotel.

Al Sr Naval también le gusta su trabajo, pero hay otra cosa que le gusta mucho: la agricultura. En la finca de su familia, en Olmeda del Rey, un pueblecito a 40 kilómetros de Cuenca, la cosecha de girasol está a punto de empezar.

pasta de dientes, champú	toothpaste, shampoo
escaparate	shop window
se ve/ven	one can see
muñeco	doll
servicios a domicilio	home delivery service
cuarto de baño completo	bathroom with bath and shower
salón de convenciones	conference room
la hacen entre ella . . .	is done between herself . . .
pueblecito	small village
la cosecha de . . . está a punto de empezar	the . . . harvest is about to begin

Revision

Cuenca: las Galerías Forriol en la Avenida José Antonio

Televisión

Anabel wants to buy a shirt and a T-shirt. She goes to *una boutique* in *la Avenida José Antonio.*

Anabel	Hola.
La dependienta	Hola, buenas tardes.
Anabel	Quiero una camisa.
La dependienta	¿Como éstas?
Anabel	*(pointing to a brown one)* Sí, como aquélla, la marrón.
La dependienta	¿Ésta de cuadros?
Anabel	Es un poco grande para mí.
La dependienta	*(checking the size)* Sí, es la talla cuarenta y ocho.
Anabel	¿Tiene la cuarenta y dos?
La dependienta	*(finding the right size, but in green)* Sí, tengo la cuarenta y dos en verde. ¿Quiere probarla?
Anabel	Sí . . .
La dependienta	*(showing her to the fitting-room)* Pase al probador.
	(Having tried on the shirt, Anabel returns to the counter)
Anabel	Sí, quiero ésta.
La dependienta	Muy bien. ¿Quiere algo más?
Anabel	Sí, quiero también una camiseta. ¿Dónde están?
La dependienta	Aquí. ¿Cuál prefiere?
Anabel	*(pointing to one type)* De éstas.
La dependienta	*(holding up a red one)* Ésta es muy bonita.
Anabel	No, prefiero la marrón. ¿Cuánto vale?
La dependienta	Quinientas doce.
Anabel	*(decides to buy it)* Sí, ésta.
La dependienta	¿La camisa también?
Anabel	Sí, claro.
La dependienta	Vale. Pase por caja. *(Anabel goes to the cash desk)*

El Sr López, on a visit to Cuenca from Valencia, wants to take home some local pottery. He goes to *Adrián*, a local potter who has a shop in *la Plaza Mayor*. One of the items he's interested in is a small round pot called *un cuenco*.

Sr López	Por favor, ¿cuánto vale este cuenco?
Adrián	Ciento quince pesetas.
Sr López	¿Tiene uno más grande?
Adrián	No, no lo hay.
Sr López	Y este toro, ¿cuánto vale?
Adrián	Ciento treinta pesetas.
Sr López	Prefiero éste. ¿Tiene cuatro tazas de éstas?
Adrián	Las hay pero sin asa . . . Como ésta. Son iguales pero no tiene asa.
Sr López	Deme cuatro tazas como ésta y este toro . . .
Adrián	Muy bien.
Sr López	Y este cuenco.
Adrián	De acuerdo, muy bien.
Sr López	¿Cuánto es todo, por favor?
Adrián	Quinientas veinticinco.
Sr López	*(pays)* Gracias. Adiós.
Adrián	Adiós, buenas tardes.

At *la Oficina de Turismo*, Elvira is keen to know more about the Archaeological Museum, *el Museo Arqueológico*, officially known as *el Museo de Cuenca*.

Elvira	¿Qué hay en el Museo Arqueológico?
El empleado	En el Museo Arqueológico hay los restos encontrados en las excavaciones romanas de Segóbriga y Valeria. Muy interesante es la colección numismática, colección de moneda antigua, y sobre todo la cerámica antigua conquense . . .

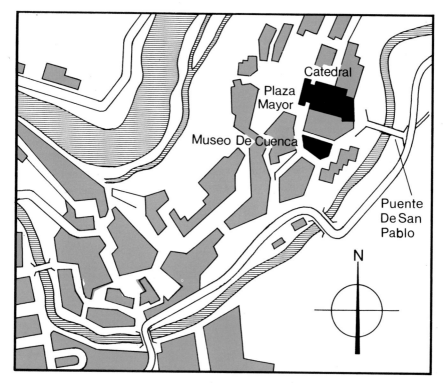

Elvira	¿Dónde está el Museo?
El empleado	¿Conoce usted Cuenca?
Elvira	No, no.
El empleado	No. Bueno, mire usted, está en la parte antigua. *(indicates route on map)* Aquí es donde estamos, Turismo. Aquí tiene un indicador que dice Ciudad Antigua. Sube usted a la Plaza Mayor. Esto es la catedral, y detrás de la catedral aquí tiene usted el Museo.
Elvira	¿Está lejos?
El empleado	Pues diez minutos, un cuarto de hora, más o menos.
Elvira	¿Pero hay autobús?
El empleado	Sí, sí, tiene autobús que lo puede coger precisamente aquí enfrente de la oficina.

¿quiere probarla?	would you like to try it on?
de éstas	one of these
pase por caja	(please) go to the cash desk
uno más grande	a larger one
son iguales	they're the same
los restos encontrados	the remains found
¿conoce usted Cuenca?	do you know Cuenca?
aquí es donde estamos	this is where we are
que dice	that says
que lo puede coger	that you can pick up

Radio

1 Pilar wants to buy a film and is faced with a number of choices: black and white or colour film, slides or prints, and 20 or 36 exposures. What does she end up buying?

Pilar	Buenas tardes.
El dependiente	Buenas tardes.
Pilar	Quiero una película.
El dependiente	¿En blanco y negro o color?
Pilar	Color.
El dependiente	Eh, ¿para diapositivas o para papel?
Pilar	Para diapositivas.
El dependiente	Tenemos películas de veinte fotos y de treinta y seis fotos.
Pilar	Entonces, una película para diapositivas en color de treinta y seis fotos.
El dependiente	Muy bien. Aquí la tiene.
Pilar	¿Cuánto es?
El dependiente	Quinientas cincuenta pesetas.
Pilar	Bueno. *(paying)* Quinientas . . . y cincuenta.
El dependiente	Muy bien, gracias.
Pilar	A usted.
El dependiente	Buenas tardes.
Pilar	Buenas tardes.

Cuenca: el Puente de San Pablo, en la Hoz del Huécar

2 *El Puente de San Pablo* is an impressive iron bridge which crosses the river Huécar. Pilar wants to find her way there. Where is it in relation to *las Casas Colgadas*?

Pilar	Buenos días, señora.
La mujer	Buenos días.
Pilar	Por favor, eh, ¿dónde está el Puente de San Pablo?
La mujer	El Puente de San Pablo está cerca de las Casas Colgadas en la parte antigua de la ciudad.
Pilar	¿Está lejos?
La mujer	No, está muy cerca.
Pilar	Muchas gracias. Adiós.
La mujer	Adiós.

3 At a party in Cuenca, Pilar persuaded some people to play 'Kim's game' – you put a number of objects on a table, give people 30 seconds to memorise them, then cover up the objects and see how many the victim can remember. Salvador is a young man with a good memory. Can you find the words for 'Spanish', 'English' and 'foreign'?

Pilar	¿Qué hay sobre la mesa?
Salvador	Hay un billete de cien pesetas, hay un duro, hay un vaso de vino.
Pilar	¿Blanco o tinto?
Salvador	Tinto. Hay un pasaporte.
Pilar	¿Español?
Salvador	No, eh, es extranjero. Hay un . . . un periódico.
Pilar	¿Un periódico inglés?
Salvador	No, es un periódico español. Hay una caja de cerillas, hay palillos.
Pilar	¿Cuántos?
Salvador	Cinco. Y hay un lápiz.
Pilar	¿Hay una carta?
Salvador	Ah, sí, hay una postal.
Pilar	¿Una postal?
Salvador	Hay una postal y una carta, las dos.
Pilar	Vale, gracias, ¿eh?
Salvador	De nada.

a usted   don't mention it (thank *you*)

A propósito

Las calles When asking people for directions, you may sometimes find that the street names they use are not necessarily the official ones (those printed on maps). Following the Spanish Civil War, many streets were re-named after Franco, *el Generalísimo*, or after the date the war began, *18 de Julio*, or after the founder of the Spanish *Falange* (Fascist Party), *José Antonio*. However, most people continued to refer to these streets by their original names. For example, in Barcelona the long avenue that cuts diagonally across the city, *la Avenida del Generalísimo*, is always known as *La Diagonal*. Franco suffered a similar fate in Madrid, where *la Avenida del Generalísimo* is more widely known as *el Paseo de la Castellana*, and in Seville very few people even know that *la Plaza de San Francisco* is officially *la Plaza de la Falange*. In Cuenca, not many people refer to *la Avenida José Antonio* by that name. It's just *Carretería* (Chariot Street).

Los sellos Stamp collectors may care to note that although *CORREOS* is printed on all stamps, Spanish stamps are not in fact printed by *Correos*; technically they're not even sold by *Correos*. Stamps are printed by *el Ministerio de Hacienda* (Ministry of Finance) who pass them on a) to tobacconists to sell at a 3% commission or b) to retired postmen or postmen's widows who are permitted to sell them inside *Correos* at a 2% commission, a further 1% going to *la Mutualidad de Empleados de Correos* (a state post-office employees' benevolent fund) for the purpose of pensions and assistance to orphans.

Los museos There are hundreds of museums in Spain, many of them inside churches and cathedrals, and you have to pay to visit them. You can of course visit churches when they are open for services, but you won't be very welcome if you disturb the congregation. Museum opening times vary, so check first at *la Oficina de Turismo*. Some are closed all day Monday, others only open in the mornings (until 2 pm), and most close for lunch (between 2 and 4 pm).

Apellidos (surnames) All Spaniards have (and often use) two surnames, the first being their father's, the second their mother's. Thus the son of Enrique *Torija Busto* and Pilar *Escribano Pérez* would be known as Pedro *Torija Escribano*.

When a woman marries, surnames become even more complicated. When *Pilar Escribano Pérez* married *Enrique Torija Busto*, she could choose to continue to be known by her maiden name, or alternatively use any of the following: *Pilar Escribano de Torija; La señora de Torija; La señora Torija*.

As a couple, though, they will usually be known as *Los señores de Torija*.

Resumen

Summary of Chapters 1 to 5

NOUNS	masculine		feminine	
a, an	**un**	banco hotel	**una**	cafetería habitación
the	**el**	banco hotel	**la**	cafetería habitación
	los	bancos hoteles	**las**	cafeterías habitaciones

In the plural, nouns ending with a vowel add *–s*; those ending with a consonant add *–es*.

VERBS

How to ask:

| if something is in the vicinity | ¿hay | un banco
una pensión | por aquí? |

| where something is | ¿dónde | **está** correos?
están los servicios? |

| if it's far | ¿está
¿están | lejos? |

| if someone has something | ¿tiene | hora?
una habitación?
algo para el dolor de cabeza? |

How to say:

| you want something (i) simply name it | | un café, por favor
dos barras de pan |

| (ii) say you want it | quiero | una pastilla de jabón
una camisa |

| which you prefer | prefiero | pastillas
la marrón |

| or would like to be given | deme | una caja de diez
el grande |

To avoid repetition, you can drop a noun already mentioned and just say *el*, *la*, *los* or *las* with an adjective.

¿Quiere la lata grande o **la pequeña?** **La grande,** por favor.

And how to ask:

		singular	plural
the price of something or things	¿cuánto	vale? cuesta?	valen? cuestan?

| and how much it all comes to | ¿cuánto es? |

ADJECTIVES

Words that describe something have to agree with the noun they refer to.

	masculine		feminine	
singular	un hotel un plato	**pequeño**	una pensión una lata	**pequeña**
plural	dos hoteles dos platos	**pequeños**	dos pensiones dos latas	**pequeñas**

In the plural, adjectives ending with a vowel add *–s*, as above, but those ending with a consonant add *–es*.

dos habitaciones **dobles** y dos **individuales**

Adjectives ending in –e (e.g. *grande*, *doble*) don't have separate masculine and feminine forms.

| un hotel
una pensión | **grande** | dos platos
dos latas | **grandes** |

This and these

		masculine	feminine
You can point out which one, or ones, you want:	this . . . these . . .	**este** plato **estos** platos	**esta** taza **estas** tazas

And you can use these words on their own:
(words in brackets have not occurred in the book so far)

this one these	**éste** **éstos**	**ésta** **éstas**
that one those	(aquél) (aquéllos)	aquélla (aquéllas)

PRONOUNS

'I', 'you', 'we', etc. are not often used in Spanish. So far you have only come across *usted* ('you'). Normally it comes before the verb unless the sentence is a question, e.g. (Ch. 4): *¿Qué prefiere usted?*
However, the order is sometimes reversed even when a sentence is not a question. This is done for the sake of rhythm and sound, e.g. (Ch. 1):

Elvira   ¿Tiene un plano de Cuenca?
El empleado   Sí, aquí tiene usted el plano de Cuenca.

DIRECTIONS

a) General

here	aquí por aquí aquí mismo	there	allí por allí allí mismo

b) How to get there

straight on		todo	recto seguido
on the	right left	a la	derecha izquierda
on the	right left	hand side a mano	derecha izquierda

c) Where it is in relation to something else

opposite	enfrente	
near	cerca	del hotel
next to	al lado	de la catedral
behind	detrás	

at the end of the street   al final de la calle
after the bridge   después del puente

QUESTIONS

what?	**¿qué** hay en Arcas?
where?	**¿dónde** está la Alhambra?
how?	**¿cómo** lo quiere?
how much?	**¿cuánto** es?
how { much? / many? }	**¿cuánto,-a** / **¿cuántos,-as** { quiere?

For numbers, see reference table, p. 222.

Prácticas

1 You're in *la Plaza Mayor* and you ask a policeman if there is a bank nearby. Unfortunately his answer is drowned by the noise of passing traffic. Try and work out what he actually said by filling in the blanks.

Usted ...., ¿........................?

El guardia .... en la plaza no hay, pero .... en Gran Vía hay dos o .... A .... izquierda hay el Banco de Santander y .... está el Banco Hispano Americano. No .... muy lejos.

tres
están
mano
aquí allí
enfrente

2 Fill in the missing words and complete the labyrinth.

a) ¿Tiene un (10) _ _ _ _ _ de Valencia?

b) Aquí tiene usted una (4) _ _ _ _ _ de los (6V) _ _ _ _ _ _ _ de Málaga.

c) La Giralda está en (2) _ _ _ _ _ _ _ _.

d) Por favor, una (5) _ _ _ _ _ _ _ de agua mineral.

e) ¿Tiene (13) _ _ _ _ para el (9) _ _ _ _ de cabeza?

f) ¿Tiene (12) _ _ _ _ _ _ _ _ _ de veinte (1) _ _ _ _ _?

g) Está a un cuarto de (6H) _ _ _ de aquí.

h) ¿Tiene una habitación (8V) _ _ _ _ _ para (3) _ _ _ _ noche?

i) En el (7) _ _ _ _ _ _ _ _ venden cigarrillos, postales, (11) _ _ _ _ _ _ y cerillas.

j) Por favor, ¿ (8H) _ _ _ _ _ están los servicios?

3 You've been asking a lot of questions.

What were they? The answers will help you.

a) Las Casas Colgadas están en la parte antigua de la ciudad.

b) Sí, aquí tiene usted el plano de Barcelona.

c) No, el Museo de Arte Abstracto no está lejos.

d) La lata grande cuesta dieciocho pesetas.

e) Sí, hay un buzón al final de la calle, a mano derecha.

f) Sí, es la una menos cuarto.

g) Correos está aquí en la plaza, al otro lado.

h) Como éstos no, pero tengo cuatro de éstos.

i) No, lo siento, el hotel está completo.

j) Para el catarro tenemos unas pastillas muy buenas.

k) Sí, la habitación tiene baño.

l) Una habitación doble, incluido desayuno, para dos personas, cuesta mil cinco pesetas.

4 You've been travelling inland visiting Cuenca and the surrounding countryside and your children have now decided you're going to spend a few days on the Mediterranean, somewhere on *la Costa Blanca* and if possible in *un parador*. You go to *una agencia de viajes* to find out what's available and to make the necessary arrangements.

Usted	¿..?
El empleado	En Alicante no, pero hay uno en Jávea, el Parador Nacional 'Costa Blanca'.
Usted	*(You don't know where Jávea is)*
El empleado	Jávea está a 87 kilómetros de Alicante, entre Alicante y Valencia.
Usted	*(You want to be sure the Parador is close to the sea – el mar)*
El empleado	Sí, está muy cerca.
Usted	*(Does it have a swimming pool?)*
El empleado	Sí, claro, tiene piscina.
Usted	*(It sounds just what you're looking for: you'll want three rooms)*
El empleado	¿Habitaciones dobles o individuales?
Usted	*(One double with bathroom, two singles without bathroom)*
El empleado	Lo siento, en el Parador todas las habitaciones tienen baño.
Usted	*(O.K. . . . , let's have them all with a bathroom!)*
El empleado	¿Para cuánto tiempo?
Usted	*(You're not particularly keen on the sea yourself, but for the sake of peace you'll stick it for four nights)*
	(You've had a thought: the weather's blazing hot and you wouldn't mind some air-conditioning in the rooms)
El empleado	Todas las habitaciones tienen aire acondicionado.
Usted	*(And what about a telephone?)*
El empleado	Claro.
Usted	*(You like to put your car under cover; is there a garage in the Parador?)*
El empleado	Sí, hay un garaje.
Usted	*(All you need to know now is how much the rooms are going to cost you)*
El empleado	Bueno, la habitación doble son mil quinientas cuarenta pesetas y las individuales mil ciento cinco pesetas cada una, incluido desayuno.
	(After all that let's hope they're not fully booked!)

SIGNOS CONVENCIONALES RELATIVOS AL PARADOR O ALBERGUE

☎ Teléfono	🐕 Admisión de perros
ⵧ Bar	🚗 Garaje
$ Cambio de moneda	∿ Calefacción central
▭ Aire acondicionado en salones	⌂ Tiendas
▭ Aire acondicionado en comedor	◯ Piscina
▭ Aire acondicionado en habitaciones	✳ Jardín
⊠ Ascensor	▭ Habitaciones con salón
⚘ Sitio pintoresco	🚌 Omnibus a estación o aeropuerto
• Sitio céntrico	∿ Playa
Ⓤ Edificio histórico	⌗ Golf
⌑ Biblioteca	●─ Tenis
⊥ Altura sobre el nivel del mar	

5 See if you can play 'Kim's game'. Memorise what's on the table, cover up the drawing and answer the following questions. You need only mention one item at a time.

¿Qué hay sobre la mesa? ....

¿Blanco o tinto? ....

¿Qué más? ....

¿Inglés o español? ....

¿Qué más? ....

¿Con sello o sin sello? ....

¿Qué más? ....

¿Con asa o sin asa? ....

¿Qué más? ....

¿Blancas o negras? ....

¿Hay cerillas? ....

¿Qué más hay?   (There are three items left; can you remember what they were?)

....

....

Lectura

La cerámica de Cuenca

Who makes ceramic tiles as well as other items to sell in his shop?
For about how many years has he been a potter?
Do people buy his pottery nowadays for use in the house?
How far back does the tradition of making pottery go?
Where will you find Roman baths almost next to the houses?
And where are the statues and sculptures that were found there?
Whose work has been pottery since he was 10?
Do you think he would be happy doing anything else?

Adrián Navarro en su taller

La cerámica es el ejemplo más típico de la artesanía conquense. En Cuenca hay muchas tiendas de cerámica; en estas tiendas se ven platos, cuencos y vasijas de todos los tamaños y de gran variedad de formas. El toro es un antiguo símbolo de Cuenca y pequeños toros de barro son un artículo muy popular.

Adrián Navarro es un ceramista, un alfarero, que vive y trabaja en Cuenca. Tiene una tienda en la Plaza Mayor y él hace todos los platos decorados, tazas, vasijas, toros, cuencos y azulejos que hay en la tienda. Su taller es pequeño y moderno y está fuera de la ciudad, en el campo. Trabaja siempre solo. Es ceramista desde hace unos 20 años, desde que era muy pequeño, desde que era un niño. ¿Qué tipo de cerámica prefiere hacer? 'La de Cuenca', dice, 'que es la cerámica raspada'.

Él inventa los dibujos y su cerámica es decorativa. La gente de Cuenca y los turistas la compran, pero . . . 'la usan en plan decorativo, no en plan utilitario.' ¿Hay tradición de cerámica en Cuenca? 'Sí, data de bastante tiempo atrás.'

En el Museo de Cuenca, el Museo Arqueológico, hay una extraordinaria colección de cerámica conquense, incluso piezas prehistóricas. En la Sala I, la pieza más antigua es la cabeza de un toro, y hay también vasijas pre-romanas que datan de los años 600 a 200 a.C.

En la Sala V del Museo hay una considerable colección de restos romanos encontrados en las excavaciones de Segóbriga y Valeria. Valeria (se llama así en honor del emperador romano Valeriano) es un pueblecito de 300 habitantes, a unos 35 kilómetros de Cuenca. Casi al lado de las casas se ven unos impresionantes baños romanos. En las excavaciones se han encontrado también varias estatuas y una escultura de la cabeza del Emperador Trajano. Están en el Museo, en Cuenca, junto con una interesante colección de moneda romana.

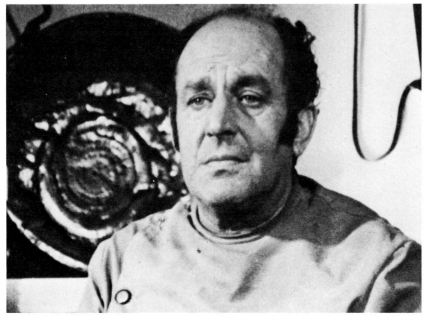
Pedro Mercedes

En la Sala X del Museo está la colección de cerámica conquense del
siglo XVII. Hay un mortero, azucareros, una aceitera e incluso 'un bacín de
infante', artículos de uso diario en las casas de Cuenca hace unos 300 años.

Actualmente el ceramista más famoso de Cuenca es Pedro Mercedes. Tiene
56 años. Es de Cuenca, de padre aragonés y de madre serrana. Su ocupación
ha sido la alfarería desde que era un niño de 10 años. Vive en la ciudad y tiene
el taller al lado de su casa.

A Pedro le gusta hacer cerámica de todo tipo. No tiene predilección. Para él la
alfarería es la gran felicidad de su vida. La mayoría de los trabajos de Pedro
son decorados; él inventa los dibujos y algunos tienen un significado especial –
la historia de Don Quijote, por ejemplo. Todos requieren gran sensibilidad
artística y mucha habilidad. ¿Hay tradición de cerámica en Cuenca? 'Ya no,'
responde Pedro, 'porque los hijos de los alfareros no quieren ser alfareros; ellos
se pierden este gran placer.' Para Pedro la alfarería es un placer y esto se
refleja en su trabajo.'

vasijas, de barro	pots, of clay
el campo	the countryside
la cerámica raspada	engraved pottery
piezas; la cabeza; a.C.	pieces; the head; B.C.
se llama así	it's called (like) that
junto con	together with
mortero, azucarero, aceitera	mortar, sugar bowl, oil jug
'bacín de infante'	child's 'potty' (obsolete)
hace unos 300 años	about 300 years ago
la mayoría	the majority
ya no	not now
ellos se pierden este gran placer	they lose/miss this great pleasure

Eating out

**HOTEL RESIDENCIA
ALFONSO VIII**

Desayuno completo:
*Café – solo, con leche
Té – con leche, limón
Chocolate
Pan, mantequilla, mermeladas*

Extras:
*Jugos de frutas
naranja
limón
pomelo
piña
melocotón
uva
tomate*

*Huevos – pasados por agua
fritos con jamón*

(for key, see p. 245)

Televisión

In any hotel, *el desayuno completo* will consist of coffee, tea, or chocolate, with bread, butter and jam. Mario Escutia and his wife Cristina are having breakfast in *el Hotel Alfonso VIII*. As well as coffee, they order an orange juice and a pineapple juice.

El camarero	Buenos días.
Mario	Buenos días.
El camarero	¿Qué van a tomar?
Mario	Para mí un café solo.
Cristina	Para mí un café con leche.
El camarero	Muy bien, gracias.
	(Having served coffee, the waiter asks if they'd like a fruit juice)
	¿Quieren jugos de frutas?
Mario	¿Qué jugos de frutas hay?
El camarero	Naranja, melocotón, pomelo, piña, uva, tomate . . .
Mario	Un jugo de piña, por favor.
Cristina	Un jugo de naranja para mí.
El camarero	Sí, ahora mismo. Gracias.

Cuenca: a la izquierda el Mesón Casas Colgadas

Francisco Barquín and his wife Celia are entertaining an acquaintance, Petri, to lunch. They take her to *el Mesón Casas Colgadas* and have a drink first in the bar.

El barman	Hola, buenos días. ¿Qué van a tomar?
Petri	Yo quiero un jerez seco.
Francisco	Yo un whisky con hielo y sifón.
El barman	Muy bien.
Celia	Yo quiero un vermut blanco. *(The barman prepares the drinks and adds soda to the whisky)*
Francisco	Está bien, gracias.

Having finished their drinks, Francisco, Celia and Petri go upstairs to the restaurant. They're given a table by a window. The dishes they order are in the menu on p. 77.

El maître	¿Qué tomarán los señores?
Francisco	*(to Petri and Celia)* ¿Qué quieren comer?
Petri	*(studying the menu)* Para mí una ensalada mixta . . . y una trucha con jamón.
Celia	Para mí, menestra de verduras y después . . . chuleta de ternera.
Francisco	Para mí ensalada también y . . . pollo al ajillo.
El maître	*(confirming the order)* Entonces, son dos ensaladas mixtas, una menestra de verduras, una trucha frita con jamón, un pollo frito con ajos y una chuleta de ternera. *(asking what they'd like to drink)* ¿De bebida, por favor?
Francisco	Un vino blanco seco.
El maître	¿Le gusta el de la casa?
Francisco	Vale, de la casa, y una botella de agua mineral.
El maître	¿Sin gas?
Francisco	Sin gas. *(The maître leaves)*

Celia	*(admiring the view from the window – to Petri)* ¿Le gusta el paisaje?
Petri	Sí, sí, es muy bonito.
	(The first course has been served)
Celia	*(asking Petri if her salad is all right)* ¿Está bien?
Petri	Sí, está muy bien.
	(After the main course, the maître returns to ask what they'd like for dessert)
El maître	¿Qué desean para postre, por favor?
Petri	¿Qué me recomienda?
El maître	*(listing some of their specialities)* Pues, tengo unas natillas de la casa, unos pestiños, un alajú típico de aquí . . .
Petri	Sí, pues un alajú para mí.
Celia	Para mí un helado de fresa.
Francisco	Un flan, y tres cafés.
El maître	¿Tres cafés? Gracias.

ahora mismo	right away
¿le gusta . . .?	do you like . . . ?
el de la casa	the house wine

Cuenca: el Bar-Restaurante Los Arcos

1 Eduardo and Pilar went out for lunch, and chose from *el menú del día*. Eduardo ordered a particularly tasty dessert. What was it?

El camarero	En primer plato tenemos gazpacho, sopa de pescado, y de segundo chuletas de cerdo, chuletas de cordero o filete de ternera.
Eduardo	La sopa de pescado, ¿qué pescado es?
El camarero	Pues, es principalmente marisco.
Pilar	Y el gazpacho, ¿es gazpacho manchego o gazpacho andaluz?
El camarero	Es andaluz.
Pilar	Yo quiero un gazpacho.
Eduardo	Para mí, mm . . . sopa de pescado de primer plato.
El camarero	De acuerdo. ¿Y de segundo?
Pilar	¿De segundo . . .? Pues yo, chuletas de cordero con patatas.

Eduardo	Y yo chuletas de cerdo.
El camarero	De acuerdo. Entonces, llevamos de primero un gazpacho y una sopa de pescado, y de segundo usted lleva chuletas de cerdo y usted chuletas de cordero.
Pilar	Eso es.
El camarero	Para beber ¿qué van a tomar?
Pilar	Vino tinto, ¿no?
Eduardo	Vino tinto.
El camarero	¿De la casa o alguna marca especial?
Pilar	De la casa.
Eduardo	Y agua mineral para mí.
El camarero	¿Con gas o sin gas?
Eduardo	Con gas, por favor.
	(When they have finished their main course, the waiter comes back to take their order for dessert)
El camarero	¿Qué van a tomar de postre los señores?
Pilar	Yo quiero un flan.
Eduardo	Una tarta para mí, por favor.
El camarero	¿Tarta helada?
Eduardo	Sí, la tarta helada.
El camarero	De acuerdo. Después, ¿los señores van a tomar café?
Pilar	Sí, sí. Yo un café solo.
Eduardo	Para mí también. Un café solo y una copa de coñac.
El camarero	De acuerdo.
Eduardo	Gracias.
	(At the end of the meal Eduardo asks for the bill)
Eduardo	La cuenta, por favor.
El camarero	Sí. Son cuatrocientas veinticinco pesetas.
Eduardo	¿El servicio está incluido?
El camarero	Sí, sí, claro.
Eduardo	*(paying)* Cuatrocientas veinticinco pesetas. Gracias.
El camarero	A ustedes.

2 Pilar asked a housewife what food she was buying and what she thought about the prices. The woman said that meat and fruit were very dear and the cost of living was quite high. Did she find wine expensive to buy?

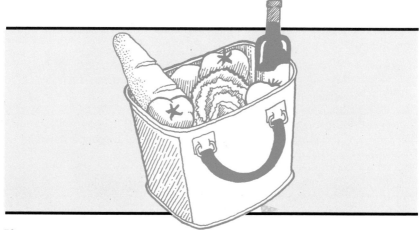

Pilar	Buenos días, señora.
La mujer	Buenos días.
Pilar	¿Qué compra usted hoy?
La mujer	Pues, hoy compro lechuga, tomate, cebolla, hígado, fruta, pan, y vino, y cerveza.
Pilar	¿Nada más?
La mujer	Nada más.
Pilar	¿Es cara la fruta en España?
La mujer	Muy cara, la fruta es carísima.
Pilar	¿Y la carne? ¿Es cara?
La mujer	Carísima.
Pilar	Y el vino, ¿es caro?
La mujer	No es muy caro pero tampoco es muy bueno.
Pilar	¿La vida en general es cara?
La mujer	Sí, bastante cara.
Pilar	¿Hay mucha inflación?
La mujer	Muchísima.
Pilar	Y de la devaluación de la peseta, ¿qué?
La mujer	Que como no tengo millones . . . . . pero sí, es terrible.
Pilar	Muchas gracias.

en primer plato	for the first course
marisco	shellfish
gazpacho manchego/andaluz	see *A propósito*
llevamos	we have
usted lleva	you are having
eso es	that's it; that's right
para beber ¿qué van a tomar?	what will you have to drink?
tarta helada	ice-cream gateau
¿qué compra usted hoy?	what are you buying today?
compro	I am buying
tampoco es muy bueno	it's not very good either
de la devaluación de la peseta, ¿qué?	what about the devaluation of the peseta, then?

A propósito

Restaurantes Restaurants are assessed by the Government and are given between one and five forks, depending on service, standards, etc. To eat well, you don't have to go to an expensive restaurant; the two-fork establishments offer a varied menu and are usually good value.

Many restaurants offer *un menú del día* (a set meal for the day), which might give two or three choices for each course. If bread and wine are included in the overall price, it'll say so on the menu.

Spaniards enjoy their food and they do eat a lot, especially at lunchtime. They will normally start with *entremeses* (hors d'oeuvres), followed by a *tortilla* or a plate of vegetables, then a steak or some fish or chicken, and finally a dessert, plus bread, wine, coffee and liqueurs.

Las comidas del día *El desayuno* (breakfast) is a very light meal, often just coffee and toast, or perhaps croissants, or *churros* – a sort of doughnut mixture fried in strips. In hotels, breakfast is served from around 7.30 to 9.30 am.

El aperitivo is a mid-morning snack, often just a cup of coffee and perhaps a pastry, or *chocolate con churros*. Also, on the way home from work, both at lunchtime and in the evening, Spaniards will stop for a drink or two, and *tapas*. In colloquial Spanish, these *aperitivos* are called *tente en pie* (to keep you on your feet).

La comida (also called *el almuerzo*) This is the main meal of the day, which no Spaniard will consider sitting down to before 2 pm, and many not until 3 pm. Some hotels, catering for foreigners, begin serving at around 1.30 pm, but there's not much point in thinking about lunch before then.

La merienda A mid-afternoon snack, when children are given a large roll with cheese, ham or something similar, and parents have a coffee and pastry, or a glass of beer.

La cena Dinner is never before 8.30 and more often at 9.30 or even 10.00 pm (many restaurants don't open before 9.30). This is a full meal, though generally a bit lighter than *la comida*.

Las tapas In many parts of Spain, a small portion of *aceitunas*, *tortilla*, *calamares* (squid), *ensaladilla rusa* (Russian salad), *queso, boquerones* (a type of unsalted anchovy), or the like, is offered to you when you order an alcoholic drink in a bar. *Una ración* is a larger portion, which you have to pay for, and, with the increase of tourism, *tapas* are often also charged for.

Las propinas (tips) Tipping is still common practice in Spain, and many bars have a *bote*, a jug or box, where the tips are put. They're shared amongst the staff at the end of the day. 5 pesetas is quite enough for a barman, and about 10% of the bill is usual for a waiter, a hairdresser or a taxi driver. For railway and airport porters there are fixed tariffs per item of luggage which vary from place to place. All porters carry a list of tariffs which you can ask to see if you think you're being overcharged.

Paradores . . . etc. The Spanish government, through what was *el Ministerio de Información y Turismo*, and now *de Comercio y Turismo*, runs a network of *paradores*, hotels, *albergues (de carretera)*, wayside inns, *hosterías*, typical restaurants, and *refugios (de montaña)*, mountain shelters, most of them built in old castles, palaces and convents, suitably restored. The facilities in this state-run network are second to none. The duration of your stay is usually limited. For example, guests can stay a maximum of 48 hours in the *albergues*, normally modern buildings constructed at strategic spots on main roads, offering accommodation to drivers.

Gazpacho andaluz . . . ¿o manchego? If you order *gazpacho* in a Spanish restaurant, you'll normally get the Andalusian variety, *gazpacho andaluz*, a cold tomato and garlic soup into which are sprinkled chopped peppers, cucumber, onions and croûtons to your taste. It makes a refreshing start to a summer meal. It is definitely not to be confused with a speciality of la Mancha, *gazpacho manchego*, a thick and very rich type of pâté made from mixed meats and game – definitely only for those with a healthy appetite and a digestion to match.

Resumen

1 In a restaurant or a bar you'll be asked what you'll have.

¿qué | van a tomar / tomarán | (los señores)?

If it's a restaurant, the waiter may specify for which course.

first course / second course | de | primero / segundo   dessert | para / de | postre

When choosing, you might say:

yo quiero | un jerez seco / un gazpacho   **yo** | un vermut blanco / chuletas de cerdo

or   **para mí** | una sopa de pescado / pollo al ajillo / un helado de fresa

2 If you're not sure, you could ask the waiter

to recommend something   ¿qué | recomienda? / me recomienda?

or explain what something is   ¿qué | es? / pescado / carne | es?

3 And you may be asked if a dish you've been served is all right.

¿está bien | (la ensalada) (el pollo) | ? You could say: sí, está | bien muy bien

4 And what about something to drink with your meal?

¿para beber?
¿de bebida, por favor?

For breakfast you may be asked if you'd like a fruit juice.

¿quiere(n) jugos de frutas?   un jugo de | naranja piña

And you will want coffee . . .   . . . or tea

black | solo   with milk | leche
with a dash of milk un café | cortado   lemon un té con | limón
white | con leche

5 When you've finished your meal or your drinks, you'll want the bill, or need to know how much it comes to.

la cuenta, por favor

or: ¿cuánto es?

● There are several ways, all meaning more or less the same thing, in which you can be asked what you'll have or what you'd like.

If you're on your own   If you're with other people

¿qué | toma
va a tomar
tomará
desea
quiere | (usted)?   ¿qué | toman
van a tomar
tomarán
desean
quieren | (ustedes)
(los señores) | ?

If you're on your own, you can simply name what you want, but if you're with other people, it helps to emphasise who wants what if each person begins by saying:

yo quiero | un jugo de tomate
or: yo | un whisky con hielo y sifón
or: para mí | un alajú

Notice that here you can use *yo* ('I') on its own, without *quiero*.

Prácticas

Horario
Almuerzo de 1 a 3.30
Cena de 9 a 11.30

Menú del día . . .

CARTA

ENTREMESES (1° Grupo)

Ensalada Mixta
Melón con Jamón Serrano
Sopa de Cebolla
Sopa de Pescado

HUEVOS, PASTA Y VERDURAS (2° Grupo)

Espinacas a la Catalana
Menestra de Verdura
Espaguettis a la Boloñesa
Tortilla a su Gusto

PESCADOS (3° Grupo)

Cocktail de Bogavante
Merluza al Horno
Trucha con Jamón

CARNES Y AVES (4° Grupo)

Chuleta de Ternera Cordon Bleu
Escalopines de Ternera Marsala
Steak a la Pimienta
Solomillo Parrilla
Chuletas de Cordero al Ali Oli
Pollo al Ajillo
Perdiz Estofada
Codornices a las Uvas

POSTRES (5° Grupo)

Natillas
Crêpes Imperiales
Tortilla Alaska (2 personas)
Flan
Helados variados
Cesta de Frutas
Carro de Queso

PLATOS TÍPICOS

Mojete
Morteruelo
Pisto Manchego
Gazpacho Manchego
Judías con Perdiz
Conejo Encebollado
Cordero Asado Manchego (2 personas)

POSTRES

Pestiños con Miel
Alajú
Queso Fresco con Membrillo
Higos con Miel y Nueces

VARIOS

Pan	*Sangría*
Mantequilla	*Cerveza*
Agua Mineral	*Café*
Jarra de vino	*Licores*
Jarra de vino ½	*Infusiones*

The above is a selection of dishes from the menu of *el Mesón Casas Colgadas*.
You'll find the key on p. 245.

1 Get to know what each dish means, then imagine you're at the restaurant with a friend and you both order a meal. You can choose whatever you like: there's no charge (and there's no key to this exercise, either).

El maître	Buenas tardes, señores. ¿Qué van a tomar de primero? *(Choose from Groups 1 and 2)*
Usted	Para mí ....
El compañero	Para mí ....

El maître	Muy bien. ¿Y de segundo?
	(Choose from Groups 3 and 4)
Usted	Para mí ....
El compañero	Yo ....
El maître	¿Y para beber?
	(How about some wine?)
Usted	....
El maître	¿El vino de la casa le va bien?
	(Of course it does, and you also want a bottle of mineral water)
Usted	....
El maître	¿Con gas o sin gas?
	(Which do you prefer?)
Usted	....
	(The main course has been served)
El maître	*(to your companion)* ¿Está bien?
El compañero	....
	(El maître returns with the menus to see what you'd like for dessert)
El maître	¿Qué desean para postre?
Usted	¿Qué recomienda?
El maître	Tenemos natillas, pestiños, alajú, flan, helado, queso . . .
El compañero	Para mí ....
Usted	Yo ....
El maître	Muy bien. ¿Cafés?
Usted	Sí,
El maître	Dos cafés. Ahora mismo.
	(If you're still not hungry, try exercise 2)

2 You've gone to a different restaurant this time. What do the pair of you order? Read through the exercise first; what the waiter says will indicate what you asked for.

Camarero

¿Qué van a tomar los señores?

De primero tenemos sopa de cebolla, gazpacho andaluz, ensalada verde, ensalada mixta . . .

Dos gazpachos. Muy bien. ¿Y de segundo?

Tenemos chuletas de cerdo, chuletas de cordero, filete de ternera, tortillas . . .

¿Con patatas fritas?

El filete sin patatas, las chuletas de cordero con patatas. ¿Para beber?

Una botella de vino blanco y una de agua mineral. ¿Con gas?

Sin gas. Ahora mismo.

Clientes

a) ¿Qué hay .... ?

a) Para mí ....
b) Yo .... también.

a) ¿..?

a) Yo ....
b) Para mí ....

a) Para mí, sí,
b) Para mí ....

a) ....
b) Y ....

b) No, ...

3 In the course of an overnight train journey, you and three friends have been making the most of the bar service. On arrival, you're presented with the combined bill. Who had what and how much do your friends owe you? You know that Juan never touches spirits and only smokes the occasional cigar; José doesn't like beer or soft drinks, but he does like strong (black tobacco) cigarettes; you're partial to most things except that you don't smoke, and wine after breakfast doesn't exactly appeal to you! Whereas Pedro . . .

TARIFAS de servicio permanente de bebidas durante el viaje.

Cervezas	35	**TABACOS**	
Agua mineral	33	**Cigarros**	
Refrescos	32	Upmann, c/f. met ...U	57
Whisky	175	Personajes ....U	12
Vino	55	Capote Cub ....c/10 U	81
Brandi	60	Miniclub ....c/10 U	46
Anís	45	**Cigarrillos**	
Ron	60	Negro	23
Ginebra	60	Rubio	55
Cointreau	60	Americano	58

DESAYUNO 85 ptas

Unidades	Precio unidad	Precio total
3	a 35	105
3	a 175	525
3	a 32	96
4	a 85	340
3	a 55	165
2	a 57	114
2	a 23	46
	TOTAL	**1.391**

REПFE

If you're learning with other people, share out the various parts, including the barman, and practise ordering drinks, more drinks, cigarettes, breakfast and yet more drinks.

¿Qué van a tomar los señores?

4 The following dishes might taste a bit strange. Can you unscramble them?

sopa de vainilla
tortilla en almíbar
steak con miel y nueces
merluza de patatas
yogurt a la pimienta
melocotón con salsa bechamel
helado de cebolla

Lectura

Alarcón: el Parador Nacional Marqués de Villena

Bares, mesones, paradores y la cocina regional

What do many Spaniards have before leaving home and then again near where they work?

What do some of Luis's customers drink in the morning (apart from a glass of beer)?

Who manages the Mesón Casas Colgadas?

Whose wife does the cooking at Los Claveles?

Where did many battles take place between Moors and Christians?

Is it here you have to book well in advance?

Son las siete y media de la mañana. En el Hotel Alfonso VIII se empieza a servir el desayuno. La mayoría de los bares abren temprano. Muchos españoles toman un café o un café con leche antes de salir de casa y después desayunan en un bar, cerca de donde trabajan: toman otro café, o algo más fuerte. Luis, el propietario del bar El Mesón, explica qué beben sus clientes: 'Por la mañana cafés con leche, otros beben vino, alguna copita de coñac o de anís, vermut, cañas de cerveza.' Por la tarde toman café, licores (coñac, anís o resolí, que es una bebida muy fuerte, típica de Cuenca). Por la noche, vino o cerveza, y toman tapas, naturalmente, que son gratis.

A la una y media, para el almuerzo, se abre el Mesón Restaurante Casas Colgadas. La Sra Flores lleva la dirección del restaurante; es de San Sebastián, pero vive en Cuenca desde hace unos once años (su marido es un famoso pintor). El Mesón Casas Colgadas es un restaurante con muy buena reputación por su cocina: platos típicos de la región, de otras regiones españolas y cocina internacional. La comida para el restaurante la compran en Cuenca; las legumbres y verduras en los huertos de la Hoz del Huécar.

El Sr Julián Garrote, dueño del Mesón Los Claveles, también compra en la

Hoz del Huécar. Su restaurante es un negocio familiar: su esposa cocina y él y sus hijos sirven las comidas. Los Claveles se especializa exclusivamente en la comida manchega: los gazpachos, el morteruelo, las atascaburras, las judías estofadas, las salchichas, la trucha de río, etc.

En la comida típica regional española los paradores, hoteles que pertenecen al Estado, tienen una importancia especial. Están distribuidos por toda España; todos tienen restaurante (abierto al público) que se especializa en platos regionales. En el castillo de Alarcón, a unos 80 kms de Cuenca, en la carretera de Madrid a Valencia, está el Parador Nacional 'Marqués de Villena'.

Alarcón es un pueblo que data probablemente de tiempos pre-romanos. Está casi completamente rodeado por el río Júcar. En la época árabe se construyó el castillo. En la Edad Media Alarcón tenía 12.000 habitantes. Ahora tiene solamente 500, la mayoría ancianos; el castillo es un Parador, totalmente reconstruido y abierto al público todo el año.

El administrador del 'Marqués de Villena' es el Sr Segundino Fuertes. Es del norte de España, de Oviedo, y trabaja en el Parador desde hace siete años. En el Parador hay solamente 11 habitaciones. La reconstrucción refleja las características de la arquitectura y decoración manchegas. Tiene toda clase de comodidades, 30 personas trabajan en él, y es más barato que muchos buenos hoteles. ¡Hay que reservar las habitaciones con mucha antelación!

El Sr López Frías, de Málaga (Andalucía), es el jefe de cocina. Prepara unas 150 comidas al día; las especialidades regionales son el morteruelo, el gazpacho manchego, el pisto manchego y las gachas. Y naturalmente el Sr Frías, siendo de Andalucía, prepara un gazpacho andaluz muy sabroso.

se empieza a servir	they are starting to serve
tapas	see p. 74
gratis	free
legumbres	beans, peas, etc.
comida manchega	food typical of La Mancha
las atascaburras	a dish made with fish, onion and garlic
la Edad Media	the Middle Ages
más barato	cheaper
siendo de	being from
sabroso	tasty

Las gachas

Se fríe	You fry
hígado de cerdo y panceta.	pork liver and (salt-cured) pork belly.
Se añade	You add
un poco de pimentón y de harina,	some paprika and flour,
un poco de orégano,	a little oregano,
agua o consomé.	water or stock.
Se deja hervir unos 15 minutos	You let it boil for about 15 minutes
y se sirve.	and serve.

Going places

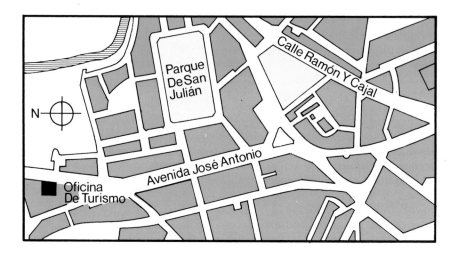

¿dónde	está ....?	**where**	is ....?
	están ....?		are ....?
un billete para		**a ticket to**	
¿cómo se llega a ....?		**how do I get to** ....?	

Televisión

A pie

Having enquired at *la Oficina de Turismo* about hotel accommodation in Cuenca, Elvira decides to try a hostel, *el Hostal Residencia del Pilar*.

Elvira	¿Dónde está el Hostal del Pilar?
El empleado	Hostal Residencia del Pilar . . . ¿Va usted a pie o tiene coche?
Elvira	A pie.
El empleado	A pie. Mire usted . . . *(indicating the route on map)*
	Esto es Turismo, la Oficina. Sigue usted toda la calle principal y aquí hay un jardín de forma triangular. Pasa el jardín y aquí en Ramón y Cajal tiene usted el Hostal del Pilar.
Elvira	¿Está lejos?
El empleado	Unos cinco minutos, aproximadamente.
Elvira	Vale. Muchas gracias.
El empleado	Adiós, señorita.
Elvira	Adiós.

En autobús

As well as bus services within the town, there are buses to towns outside Cuenca – as far as Valencia on the Mediterranean coast, due south to Albacete, south west to Belmonte and Alcázar de San Juan. *La Sra Martínez* wants to go to Belmonte. She goes to the bus station, *la estación de autobuses*, to buy a ticket; she also needs to know what time the bus leaves Cuenca and arrives in Belmonte.

Sra Martínez	Un billete para Belmonte, por favor.
El empleado	Sí, señora.
Sra Martínez	¿Cuánto vale?
El empleado	Ciento ochenta y nueve pesetas.
Sra Martínez	*(hasn't heard properly)* ¿Cuánto?
El empleado	Ciento ochenta y nueve pesetas.
Sra Martínez	*(pays)* Gracias. ¿A qué hora sale?
El empleado	A las tres y media.
Sra Martínez	¿Y a qué hora llega?
El empleado	A las seis de la tarde.
Sra Martínez	Gracias.
El empleado	De nada, señora.
	(La Sra Martínez goes out onto the concourse, where a bus is waiting)
Sra Martínez	*(to the driver)* Por favor, ¿éste es el coche de Belmonte?
El conductor	Sí, señora. Puede usted subir.

En tren

Cuenca is on the Madrid–Valencia line, and is the main stop between these two cities. All trains stop there, including the fast air-conditioned trains: *el TALGO* and *el TER*. *El Sr Noela* and his wife are off to Madrid. They go to the ticket office, *la taquilla*, at *la estación de tren*, to buy two first-class return tickets. *El Sr Noela* makes sure it's a fast train, enquires about departure and arrival times and whether there's a restaurant on the train. He also needs to know which platform it leaves from.

Sr Noela	Buenos días.
El taquillero	Buenos días.
Sr Noela	Dos billetes de ida y vuelta para Madrid.
El taquillero	¿Primera o segunda clase?
Sr Noela	Primera clase. ¿Es un tren rápido?
El taquillero	Sí, es un rápido TER.
Sr Noela	¿A qué hora sale?
El taquillero	A las once y treinta.
Sr Noela	¿A qué hora llega?
El taquillero	A las trece cincuenta y cinco.
Sr Noela	¿Hay un restaurante en el tren?
El taquillero	Sí, lleva restaurante.
Sr Noela	¿Cuánto es?
El taquillero	Mil cuatrocientas ochenta.
Sr Noela	*(pays)* ¿De qué andén sale?
El taquillero	Sale del segundo andén.
Sr Noela	Muchas gracias.
El taquillero	De nada. Servidor.

En coche

Manuel wants to visit Valeria, the small village south of Cuenca where they have been excavating the remains of a Roman settlement. He asks the hotel receptionist how to get there.

Manuel   Por favor, ¿cómo se llega a Valeria?
El recepcionista   ¿En coche?
Manuel   Sí, en coche.
El recepcionista   Para ir a Valeria usted tiene que tomar la carretera de Valencia y a los seis kilómetros hay un desvío a la derecha.
Manuel   Muchas gracias.
El recepcionista   ¿Quiere usted un mapa de la provincia de Cuenca?
Manuel   Sí, ¿cuánto vale?
El recepcionista   Nada.
Manuel   Muchas gracias.
El recepcionista   No hay de qué.
Manuel   Adiós. Hasta luego.
El recepcionista   Hasta luego.

a pie	on foot
de la tarde	in the afternoon/evening
puede usted subir	you can get on
para ir a . . .	to go to . . .
tiene que tomar	you have to take
a los seis kilómetros	after six kilometres

Radio

1 Cuenca is over a hundred miles from the sea, but it does have its own beach on the river Júcar (although most people prefer the nearby swimming-pool). *La playa municipal* is outside town, on the road to *la Ciudad Encantada*. How long does it take to get there on foot?

Pilar   Por favor, señor, ¿dónde está la playa municipal?
El hombre   La playa municipal está fuera de Cuenca, en la carretera de la Ciudad Encantada.
Pilar   ¿Está lejos?
El hombre   Sí, está lejos, en coche a unos diez minutos y andando una media hora.
Pilar   Muchas gracias.
El hombre   De nada.

Cuenca: la playa municipal en el río Júcar

2 Pilar wants to go to the telephone exchange, *la Telefónica*. To get there from *el Parque San Julián* she is told to go out of the park and take the second on the right.

Pilar	Por favor, señor, ¿dónde está la Telefónica?
El hombre	Usted sale del parque. Usted coge la segunda calle a la derecha y al fondo está la Telefónica.
Pilar	¿Está lejos?
El hombre	No, no, está muy cerca, a dos o tres minutos, más o menos.
Pilar	Muchas gracias.
El hombre	De nada. Hasta luego.
Pilar	Adiós.

3 When Pilar was looking for the post-office, a woman directed her to go up the street they were in and take the second on the left.

Pilar	Por favor, señora, ¿dónde está correos?
La mujer	Usted sube por esta calle, toma la segunda a la izquierda y al lado del banco está correos.
Pilar	¿Está lejos?
La mujer	No, a cinco minutos de aquí.
Pilar	Muchas gracias.
La mujer	De nada.
Pilar	Adiós.
La mujer	Adiós.

4 Eduardo wants to know if he's at the right stop for the bus to *la Plaza Mayor*. He also asks how frequently the bus runs and how much a ticket costs. What else does he ask?

Eduardo	Buenos días.
La mujer	Buenos días.
Eduardo	¿El autobús para la Plaza Mayor?
La mujer	Para aquí.
Eduardo	¿Cuándo pasa?
La mujer	Sube cada media hora y baja cada media hora.

Eduardo	¿De qué color es?
La mujer	Es azul.
Eduardo	¿Cuánto vale el billete?
La mujer	Un duro.
Eduardo	¿Cuánto dura el viaje?
La mujer	Pues, diez minutos.

– CUENCA –
HORARIO DE TRENES
SALIDAS

05.50	Ferrobús	VALENCIA	09.35
06.25	Ferrobús	MADRID	09.28
11.29	TALGO	VALENCIA	14.00
11.30	TER	MADRID	13.58
13.30	Ferrobús	MADRID	16.40
14.53	Ómnibus	VALENCIA	19.19
16.01	Ómnibus	MADRID	19.50
17.44	TALGO	MADRID	20.00
17.45	TER	VALENCIA	20.30
18.05	Ferrobús	VALENCIA	21.49
18.40	TALGO	VALENCIA	21.11
19.20	Ferrobús	MADRID	22.30

5 Eduardo goes to Cuenca railway station, *la estación de tren*, to get a ticket to Madrid. He asks what time the train leaves and when it arrives at Madrid. He also asks about the service to Valencia, for a friend who wants to go that night.

Eduardo	Buenos días.
El empleado	Buenos días.
Eduardo	Un billete para Madrid, por favor.
El empleado	¿Primera o segunda clase?
Eduardo	¿Cuánto valen?
El empleado	Quinientas ochenta y dos en segunda, setecientas sesenta y cinco en primera.
Eduardo	En segunda, por favor.
El empleado	Un momento . . . .
Eduardo	¿A qué hora sale?
El empleado	A las once treinta.
Eduardo	¿A qué hora llega a Madrid?
El empleado	A las catorce aproximadamente.
Eduardo	¿Hay trenes para Valencia?
El empleado	Sí, por la tarde.
Eduardo	¿A qué hora?
El empleado	A las catorce cincuenta un correo, eh, dieciocho cuarenta un Talgo, dieciocho cinco un ferrobús.
Eduardo	¿Cuánto vale el billete para Valencia en primera clase?

El empleado	En primera clase, setecientas . . . un momento . . . en primera, setecientas cuarenta y ocho.
Eduardo	¿Y en segunda?
El empleado	Quinientas ochenta y dos.
Eduardo	¿Hay trenes esta noche para Valencia?
El empleado	No, en ninguna dirección.

andando	walking
al fondo	at the bottom
usted sube por esta calle	you go up this street
para aquí	it stops here
¿cuándo pasa?	when (how often) does it run?
sube . . . y baja	it goes up . . . and comes down
¿cuánto dura el viaje?	how long is the journey?
no, en ninguna dirección	no, not in any direction

A propósito

RENFE – *Red Nacional de Ferrocarriles Españoles*, the Spanish railways network. This service began as a series of independent railways, largely British funded and engineered – which is why the trains travel on the left!

RENFE's showpiece is the *TALGO*. The initials stand for *Tren Articulado Ligero Goicoechea Oriol* – the last two words are the name of the inventor. Inside it's more like a jet plane than a train, with air-conditioning, reclining seats, music, meal service, hot and cold water. On the outside, its silver and red articulated coaches are an impressive sight. The *TALGO-TEE* (*Trans-Europa-Express*), the faster of the two types, can travel at up to 180 kms per hour, the *TALGO III* at 140 kph. The red *Electrotrén* (electric) and the blue *TER* (diesal) are almost as fast with top speeds of 140 and 120 kph respectively. Despite their names, the *Expreso* and the *Rápido* are the slower, more traditional type of train. The only difference between them is that the *Rápido* travels by day, the *Expreso* by night. The remaining trains, *TAF*, *Ferrobús* and the short-distance local trains (*Automotores*) are more like buses (often with more standing room than seats!).

Tarifas Prices are based on the length of the journey, calculated in kilometres, with added supplements for the *TALGO*, the *Electrotrén* and the *TER*. They are reduced by 20% for single journeys and by 36% for weekday returns on the *Ferrobuses* and the *Automotores*. Old-age pensioners (over 65) pay half price. Children don't pay up to the age of 3 and pay half price only from the age of 3 to 7. If you have an international ticket, children can travel free up to the age of 4, and pay half price from 4 to 12.

Carreteras There are six trunk roads which radiate from Madrid (*Carreteras Nacionales*). Two go to Irún and to Le Perthus, at either end of the Pyrenees; the others to Valencia, Cádiz, Badajoz (on the border with Portugal) and La Coruña.

A network of motorways is now being built, and when finished they will cover 3,000 kms. The majority of motorways are toll roads and you have to pay about 1 peseta per km.

Resumen

Going places

1 On foot or by car

Asking where something is (see chapter 2):

¿dónde está correos?

or how to get somewhere:

¿cómo se llega a | Barcelona?
¿para ir a | Valencia?

You might be told

to carry on	(usted)	sigue	todo recto toda la calle principal

to go up or down a certain street	(usted)	sube baja	por esta calle por la calle San Pedro

which street or road to take

the first the second the road to . . .	(usted)	coge toma	la primera la segunda la carretera de Valencia	calle a la derecha

or	(usted) tiene que	coger tomar	la carretera de Vigo

2 By public transport

Buying a ticket:

stating your destination	por favor, un billete para	Valencia Albacete

asking for a return ticket	un billete de ida y vuelta

or a single ticket	ida solamente

stating which class	un billete de	primera segunda	clase

or	un billete para Madrid en	primera segunda	clase

3 Finding out

about arrival/departure times:

¿a qué hora	**llega**	el tren de Valencia?
¿cuándo	**sale**	el autobús para Belmonte?

about place of departure:

¿de dónde sale el autobús?
¿de qué andén sale el tren?

whether it's the right train, coach or bus:

¿es éste	el Talgo de Valencia?
¿éste es	el coche de Belmonte?
	el autobús para la Plaza Mayor?

● **Times**

The 12-hour clock

el tren	sale llega	a	la una	(1.00)
			las tres	(3.00)
			las tres y media	(3.30)
			las seis	(6.00)
			las seis y veinticinco	(6.25)

The time of day

in the morning	a las seis de la mañana
in the evening	a las siete de la tarde
at night	a las once de la noche

The 24-hour clock

el tren llega el barco sale	a	las catorce cincuenta y tres	(14.53)
		las diecisiete cuarenta y cinco	(17.45)
		las dieciocho cero dos	(18.02)

Prácticas

HORARIOS AUTO-LÍNEAS

SALIDAS	SERVICIOS	LLEGADAS	CALENDARIO
9.00	Cuenca – Valencia	13.30	Diario
8.00	Valencia – Cuenca	13.00	,,
17.45	Cuenca – Recuenco	19.30	,,
7.00	Recuenco – Cuenca	8.50	,,
6.30	Cuenca – Albacete	10.00	Excepto Domingos y Festivos
15.30	Albacete – Cuenca	19.00	,,
16.30	Cuenca – Albacete	20.00	,,
6.30	Albacete – Cuenca	10.00	,,
15.30	Cuenca – Belmonte	18.00	,,
7.00	Belmonte – Cuenca	9.30	,,
16.45	Cuenca – Minglanilla	19.30	,,
8.15	Minglanilla – Cuenca	10.30	,,

1 The above are just a few of the bus services in and out of Cuenca.

See if you can answer the following questions. Use the 12-hour clock when giving times.

1 ¿A qué hora hay autobuses para Albacete?
2 ¿El domingo también?
3 ¿Y hay autobuses para Valencia?
4 ¿A qué hora?
5 ¿Cuánto dura el viaje de Cuenca a Valencia?
6 ¿Y a qué hora llega el autobús?
7 ¿A qué hora sale el autobús de Valencia para Cuenca?
8 El autobús que sale de Cuenca a las cuatro y cuarenta y cinco de la tarde, ¿a dónde va?
9 ¿Y a qué hora llega?
10 El autobús que llega a Cuenca a las nueve y media de la mañana, ¿a qué hora sale de Belmonte?
11 ¿Y a qué hora sale de Cuenca para volver a Belmonte?
12 Son las dos de la tarde del lunes; ¿a qué hora sale de Cuenca el próximo autobús para Albacete?

2 These people are at the railway station in Madrid.

a) Manuel has left his job and is going home to Zaragoza. He hasn't much money and can't afford to eat on the train.

b) Elvira and Pepe are going to Aranjuez for the day. They like to travel in comfort on fast trains only. It's a fairly short trip, so they won't need to eat on the journey.

c) Francisco is off to Seville on business. He wants to get there as quickly as possible and will be staying overnight. The firm's paying, so he might as well have lunch on the way.

d) Marta and Pilar are going to stay with friends in Barcelona and they hope to get a lift back. They're not well off, but it's a long journey and they must eat sometime!

What do they ask at *la taquilla?*

Viajero/a	Taquillero
a) .... , por favor.	¿En primera o en segunda?
....	¿Ida y vuelta?
No, ... ¿..............?	Cuatrocientas pesetas.
¿.....................................?	Del andén seis.
b) .... para	¿En segunda?
No, ...¿ ....?	Sí, es un TALGO.
¿.....................................?	Del andén nueve.
c)	
.... , ...	Aquí tiene usted.
¿..................... el Talgo?	A las 14.30.
¿Y .... ?	A las 20.39.
¿..................... ?	Sí, señor.
Muy bien. ¿.............?	Dos mil seiscientas pesetas.

90

d) ¿........................... el próximo tren

para ....?   El próximo sale a las 9.15.

¿........................... en el tren?   En éste no. Hay restaurante en
el tren de las 10.25.

¿..................... el tren de las 10.25?   A las 19.29.

Bien. .... , por favor.   ¿Ida y vuelta?

No, ... ¿...................?   Tres mil seiscientas pesetas.

3 Find your way through the maze and complete the following questions
and answers, using the 24-hour clock.

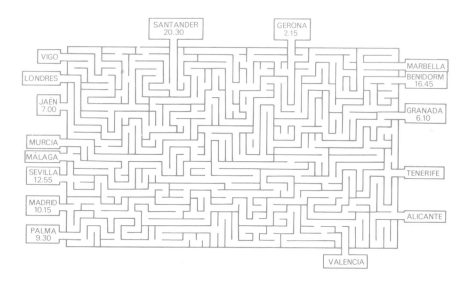

1 *Pregunta*   ¿A qué hora llega a .... el tren de Alicante?
   Respuesta   El tren de Alicante llega a ....

2 *Pregunta*   ¿........................... el autocar de Marbella?
   Respuesta

3 *Pregunta*   ¿........................... el avión de Tenerife?
   Respuesta

4 *Pregunta*   ¿........................... el barco de Valencia?
   Respuesta

5 *Pregunta*   ¿A qué hora sale el tren de .... para Málaga?
   Respuesta   El tren para Málaga sale de ....

6 *Pregunta*   ¿........................... el autocar de .... para Murcia?
   Respuesta

7 *Pregunta*   ¿........................... el avión de .... para Londres?
   Respuesta

8 *Pregunta*   ¿........................... el barco de .... para Vigo?
   Respuesta

4 Mystery Tour of Spain

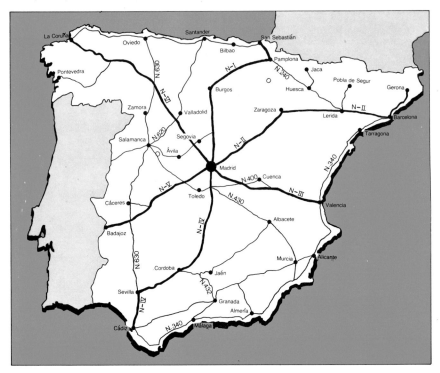

	Alicante	Ávila	Barcelona	Burgos	Cuenca	Gerona	Huesca	Madrid	Málaga	Pamplona	Salamanca	S. Sebastián	Santander	Sevilla	Toledo
Alicante															
Ávila	522														
Barcelona	522	732													
Burgos	650	239	584												
Cuenca	307	277	552	405											
Gerona	622	836	100	684	652										
Huesca	563	504	274	356	400	374									
Madrid	410	112	620	240	165	724	392								
Málaga	518	653	998	781	583	1098	933	541							
Pamplona	669	441	435	204	506	535	161	411	952						
Salamanca	620	98	779	234	375	879	551	210	717	438					
S. Sebastián	757	465	523	226	594	623	249	456	1006	88	460				
Santander	805	366	706	155	560	806	432	395	936	271	361	230			
Sevilla	612	498	1023	712	584	1123	933	541	214	952	478	938	839		
Toledo	400	137	690	310	182	790	462	70	497	481	235	535	465	455	
Valencia	167	468	355	513	222	455	395	356	643	501	566	589	668	668	373

With the help of the map and the grid of distances in kilometres, can you fill in the questions and find the names of the cities visited in this Mystery Tour of Spain? Your departure point is Santander.

Pregunta ¿.................................., ...?

Respuesta Pues usted toma esta carretera hasta Valladolid y luego sigue por la N.620.

Pregunta ...., ¿..............................?

Respuesta Coge la N.630 y es todo seguido.

Pregunta ¿..............................?

Respuesta A unos 475 kilómetros, más o menos.

Pregunta ¿.................................., ...?

Respuesta Tiene que tomar la N – IV hasta Cádiz y luego la N.340.

Pregunta ¿..............................?

Respuesta Está a 214 kilómetros exactamente.

Pregunta ¿.................................., ...?

Respuesta Siga por aquí. Cuando llega a Granada usted toma la carretera N.432 hasta Córdoba y allí la N – IV que le lleva directamente.

Pregunta ¿.................................., ...?

Respuesta Pues usted coge la N – III y a unos 60 kilómetros a mano izquierda toma el desvío de la N.400.

Pregunta ...., ¿..............................?

Respuesta Usted sigue por esta carretera y luego por la N – III hasta el final.

Pregunta ¿..............................?

Respuesta Sí está lejos. Está a 222 kilómetros.

Pregunta ¿.................................., ...?

Respuesta Siga por la N.340. Está a unos 350 kilómetros.

Pregunta ...., ¿..............................?

Respuesta Usted coge la N – II hasta Lérida y entonces, por la carretera N.240 llega a Huesca, y allí toma el desvío a la derecha.

And now, can you answer these questions?

Pregunta Por favor, ¿cómo se llega a San Sebastián?

Respuesta ....

Pregunta ¿Está muy lejos de Huesca?

Respuesta ....

5 You should be able to solve these riddles. If not, go over the dialogues at the beginning of the chapter again!

a) Es azul y un viaje de diez minutos cuesta un duro. ¿Qué es?

b) A seis kilómetros de Cuenca, en dirección de Valencia, hay un desvío a la derecha. ¿A dónde va?

c) Pasa por Cuenca a las siete menos veinte de la tarde. ¿Qué es?

d) Un autobús sale de Cuenca a las tres y treinta, y usted paga 189 pesetas por el billete. ¿A dónde va?

e) Usted sale de la Oficina de Turismo, sigue por la calle principal y pasa un jardín triangular. ¿A dónde llega?

f) Usted compra un billete de ida y vuelta, primera clase, y paga 740 pesetas. ¿A dónde quiere ir?

Lectura

Belmonte: el castillo y la cosecha del girasol

Belmonte

Where did a powerful nobleman have a church and a castle built?
What's famous for its wood-panelling and stonework? Can you visit it at any time of the year?
What else does the town policeman do?
How many extras could have been used in the films made in the castle?
Are the grapes checked for quality before the wine production begins?
How did the frost and the hail affect the wine harvest?
For whom is it cheaper to use machines rather than a lot of labour?
Who still prefer to beat out the sunflower seeds by hand?

Belmonte está en La Mancha, una vasta llanura de campos de cereales, girasoles y viñedos. En la distancia se ven molinos y castillos. Es el paisaje de Don Quijote.

Belmonte, a unos 100 kms de Cuenca, es una ciudad pequeña, de 3.200 habitantes, que data de la época árabe. Es la ciudad natal de Fray Luis de Léon (1528–1591), uno de los más grandes poetas españoles. Tiene una iglesia gótica del siglo XV y un castillo, construido por un poderoso noble español de la Edad Media, el Marqués de Villena, que reconstruyó también el castillo de Alarcón después de la derrota de los moros.

El castillo de Belmonte es famoso por los paneles de madera y por los trabajos en piedra en las habitaciones. Está abierto a los turistas todo el año. El guía es el Sr Emilio Cerezo, que es también guardia municipal de Belmonte.

Ahora el castillo está abandonado, pero muchas películas de carácter histórico se filman en él (las más famosas: *El Cid* con Charlton Heston y Sofía Loren; *Don Quijote* con Rex Harrison y Frank Finlay). Se puede decir que prácticamente todos los habitantes de Belmonte han sido extras en alguna película.

La actividad principal de Belmonte es la agricultura: el trigo, el girasol y la uva (La Mancha es una de las mayores áreas productoras de vino de España). Belmonte tiene su cooperativa local de vino. El director es el Sr Mariano Domingo, que es también director de la Caja Rural de Ahorros. Los agricultores llevan las uvas en camiones y carros hasta la cooperativa. Allí las uvas pasan un control de calidad y se pesan antes de empezar la producción del vino. En un año normal se producen unos tres millones de litros. Y este año, ¿es buena la cosecha? 'No, desgraciadamente es pequeña', dice el Sr Mariano, 'pequeña en cantidad, debido a las heladas y a los pedriscos que hemos sufrido durante todo el año. Pero en calidad es buena.' ¿Y es bueno el vino? 'Sí, sí, ¡ya lo creo que es bueno!'

El presidente de la cooperativa es el Sr Julián Campos. Es agricultor y propietario de tierras pero no tiene viñedos: cultiva cereales y girasol y su mujer y sus hijos le ayudan. Hay dos cosechas de girasol: una en septiembre, para las pipas blancas (que se usan para comer), y otra en octubre, para las negras (que son para el aceite). Este año la cosecha es buena porque ha llovido bastante. El Sr Campos tiene empleados temporales para ayudarle en la época de la cosecha, y la mayor parte del trabajo se hace con máquinas. Dice que la mano de obra está muy cara hoy y con máquinas es más económico.

Algunos, especialmente los ancianos, prefieren hacer el trabajo a mano. Sentados cerca de las máquinas, ayudan, a la manera tradicional, a sacar las pipas de los girasoles.

una vasta llanura	a vast plain
ciudad natal	birthplace
derrota	defeat
guía	guide
se puede decir	one can say
trigo	wheat
Caja Rural de Ahorros	Rural Savings Bank
llevan	they carry
camiones y carros	lorries and carts
se pesan	they are weighed
desgraciadamente	unfortunately
cantidad, calidad	quantity, quality
que hemos sufrido	that we have suffered
ha llovido	it has rained
se hace	is done
sentados	seated

What's possible, where and when

Cuenca: la Caja Provincial de Ahorros en el Parque de San Julián

¿se puede ....?			can I ....?	
¿dónde se puede ....?			where can I ....?	
¿cuándo	se puede ....?		when	can I.........?
¿a qué hora			at what time	

Televisión

Ursula wants to change some foreign currency. She goes to *la Caja Provincial de Ahorros* in *el Parque de San Julián*, but she's not sure if they do change money there. She asks *el portero*.

Ursula	Buenos días. ¿Se puede cambiar moneda extranjera aquí?
El portero	Mire, *(pointing to the counter at the opposite end of the banking hall)* en el mostrador, enfrente.
Ursula	Muchas gracias.
	(She also needs to make a phone call)
Ursula	Por favor, ¿hay un teléfono por aquí?
El portero	*(indicating two phone booths nearby)* Aquí, a su izquierda.
Ursula	¿Se puede telefonear fuera de Cuenca desde aquí?
El portero	No, señorita, solamente dentro de Cuenca. *(The telephones in the bank have no coin box so their use is limited to local calls, for which there is no charge)*

Manuel needs some things washed and cleaned by the next morning. From his room in *el Hotel Alfonso VIII* he rings for a room-maid.

La telefonista	*(answering his call)* Dígame.
Manuel	Por favor, una camarera a la habitación ciento uno.
La telefonista	De acuerdo.
Manuel	Gracias. *(puts the phone down; there is a knock at the door)*. ¡Adelante! *(the maid enters)* Buenos días.
La camarera	Buenos días.
Manuel	*(showing her the clothes)* ¿Se puede lavar esta ropa para mañana?
La camarera	*(checking what there is)* ¿Qué hay?
Manuel	Una camisa y unos pantalones.
La camarera	¿Los pantalones en seco?
Manuel	Sí, en seco.
La camarera	¿Para qué hora mañana?
Manuel	Para las once y media.
La camarera	Sí, creo que sí.
Manuel	Muchas gracias.
La camarera	De nada.

Maruja has run out of film for her camera and needs to know where she can buy some more.

Maruja	Por favor, ¿dónde se puede comprar un rollo de película?
Un hombre	La primera a la izquierda, todo seguido hasta el semáforo, después a la derecha y a cien metros está la Óptica Notario. Allí venden rollos de película.
Maruja	Muy bien. Entonces, primero a la izquierda y luego a la derecha. Muchas gracias.

At *la Oficina de Turismo*, Elvira wants to know the opening and closing times of *el Museo de Arte Abstracto*.

Elvira	¿A qué hora se puede visitar el museo?
El empleado	Pues, el museo se puede visitar por la mañana de once a dos, y por las tardes de cuatro a seis.
Elvira	¿Se puede visitar todos los días?
El empleado	Sí, todos los días excepto los lunes que está cerrado.
Elvira	Vale, muchas gracias. Adiós.
El empleado	Adiós, buenos días. Adiós.

- HORARIO -

	MAÑANAS	TARDES
LUNES	CERRADO	CERRADO
MARTES	11 - 2	4 - 6
MIERCOLES	11 - 2	4 - 6
JUEVES	11 - 2	4 - 6
VIERNES	11 - 2	4 - 6
SABADO	CERRADO	4 - 10
DOMINGO	11 - 2	4 - 5

El Sr Argudo has had a flat tyre; he's changed the wheel but now wants the tyre repaired. He goes to a garage, *un garaje*, not far from the centre of town.

Sr Argudo	*(to the man at the desk)* Buenos días, ¿pueden repararme este neumático?
El encargado	Sí. Puede volver dentro de una hora.
Sr Argudo	Bien.
El encargado	*(filling in the docket)* ¿Nombre?
Sr Argudo	Manuel Argudo Mora.
El encargado	¿Matrícula?
Sr Argudo	Catorce mil trescientos cuarenta y cinco, Cuenca.
	(he wants to leave the car there) ¿Puedo dejar el coche aquí?
El encargado	Sí.
Sr Argudo	Gracias. Adiós.
El encargado	Adiós. Buenas.
	(El Sr Argudo returns an hour later)
Sr Argudo	Buenos días. ¿Está reparado el neumático?
El encargado	Sí, está reparado. *(gives him the bill)* Tenga. Pase por caja.
Sr Argudo	*(pays and collects his tyre)* Bien. Adiós. Gracias.
El encargado	Adiós.

CU 14345

¡adelante!	come in!
esta ropa	these clothes
en seco	dry cleaned
creo que sí	I think so
hasta el semáforo	as far as the traffic lights

Radio

1 Eduardo is looking for a parking space. He asks a policeman where he can park.

Eduardo	Buenos días.
El guardia	Buenos días.
Eduardo	¿Se puede aparcar aquí?
El guardia	No, aquí está prohibido aparcar.
Eduardo	¿Dónde se puede aparcar?
El guardia	Hay un parking en la plaza. Usted sigue todo recto y coge la primera a la izquierda.
Eduardo	¿Es gratuito?
El guardia	No, cuesta veinticinco pesetas la hora.

2 If you want to know where you can and can't smoke . . . ask a fireman. Is smoking permitted on buses?

Eduardo	¿Se puede fumar en el Metro, en el transporte público en una ciudad española?
El bombero	Pues no, está totalmente prohibido el poder fumar tanto en el Metro, autobuses, incluso salas de espectáculos cerradas como son cines y teatros: totalmente prohibido fumar.

Eduardo	¿Tampoco se puede fumar en cabarets y lugares con espectáculo?
El bombero	En cabarets está permitido el fumar.
Eduardo	Sí. ¿En transporte público de ninguna manera?
El bombero	De ninguna manera, absolutamente prohibido.

3 Pilar is in Valera de Abajo, a village near Cuenca, and it's lunchtime. There's no restaurant, but you can get something to eat at the inn. Where is the inn?

Pilar	Perdón, señor, ¿dónde se puede comer aquí en Valera de Abajo?
El hombre	Aquí en Valera no hay ningún restaurán. Solamente se puede comer en la posada.
Pilar	¿Dónde está la posada?
El hombre	Pues, aquí a la primera calle a la derecha a unos cincuenta metros.
Pilar	O sea, ¿no está lejos?
El hombre	No.
Pilar	Vale. Muchas gracias.
El hombre	De nada.
Pilar	Adiós.
El hombre	Adiós.

4 When can you visit the cathedral? A tourist asks, and gets an enthusiastic reply.

El turista	¿Cuándo se puede visitar la catedral?
La mujer	Se puede visitar por las mañanas y una cierta hora de la tarde, seguro. Es muy bonita, y desde luego es muy interesante porque hay las joyas de la Virgen, que es una preciosidad. Es muy interesante visitarlo. Yo lo recomiendo.

5 Jordi goes to buy some petrol at a garage on the outskirts of Barcelona. He also wants the garage attendant to check the oil and clean the windscreen.

Jordi	Buenas tardes.
El garajista	Buenas tardes.
Jordi	¿Me puede poner veinte litros, por favor?
El garajista	Sí, señor. ¿Super o normal?
Jordi	Super.
El garajista	Vale. *(he serves the petrol)*
Jordi	¿Me puede mirar el aceite, por favor?
El garajista	Sí, señor.
Jordi	¿Y me puede también limpiar el parabrisas?

El garajista	Sí, señor. Ahora mismo.
Jordi	Gracias. *(the attendant checks the oil and returns)* ¿Cuánto es?
El garajista	Setecientas cuarenta.
	(Jordi pays with a 1,000 pta note)
El garajista	*(counting the change)* Ocho, nueve y diez.
Jordi	Muchas gracias.
El garajista	Vale.
Jordi	Adiós.
El garajista	Adiós. Muy buenas. Buenas tardes.

poder fumar	smoking (*lit.* being able to smoke)
tanto	either
salas de espectáculo cerradas como son . . .	indoor places of entertainment like . . .
de ninguna manera	definitely not, 'no way'
no hay ningún restaurán	there isn't a single restaurant
o sea	in other words
una cierta hora	at certain times
seguro	that's certain
desde luego	of course
las joyas de la Virgen, que es una preciosidad	the jewels of the Virgin, which are quite beautiful
visitarlo	to visit it

A propósito

Equivalencia

Galones	1	2	3	4	5	6	7	8	9	10
Litros	4.5	9.1	13.6	18.2	22.7	27.3	31.8	36.4	40.9	45.5

Litros	5	10	15	20	25	30	35	40	45	50
Galones	1.1	2.2	3.3	4.4	5.5	6.6	7.7	8.8	9.9	11.0

Gasolina (petrol) There are three grades of petrol in Spain: 98 octane, or *Extra* (roughly equivalent to 4-star), 96 octane, or *super* (equal to 3-star), and 85 octane, or *Normal* (similar to 1-star). It's worth remembering that *Extra* is not available in many *gasolineras* and that petrol stations on Spanish roads are few and far between.

CAMPSA You will see this word at most *estaciones de servicio* or *gasolineras*. It means *Compañía Arrendataria del Monopolio de Petróleos, Sociedad Anónima*, and it is a State organisation, the government having a 35 per cent share in the company. One effect of this is that petrol prices are standardised all over the country.

Semáforos (traffic lights) In cities, these are often positioned high above the road, which is fine if you're used to finding them there, but it's easy to miss them if you're not. The amber light *(la luz amarilla)* only comes on before the red; there's no yellow before the green.

Infracciones (offences) If you do commit a traffic offence, pleading ignorance and 'foreign-ness' will cut very little ice with the Spanish police.

They are empowered to fine you on the spot and to impound your car if you refuse to pay. The fines *(las multas)* range from 1,000 to 5,000 pesetas on the open road and a bit less in town. On driving out of any city or town, remember to fasten your seatbelt. The fine for not doing so is 5,000 pesetas. Speed limits are generally higher than in England: 130 kilometres per hour on motorways, 90 kph on other roads and 60 kph in towns. You are allowed to exceed these speed limits when overtaking, as long as it is safe to do so. At nasty bends, at tunnel exits and over the brows of hills you'll soon get used to seeing a pair of Civil Guards *(Guardias Civiles)*, motor bikes at the ready, waiting to pounce, and although they don't get commission on the individual fines, it's bad for their record if they are lenient!

Resumen

1 How to ask . . .

. . . if it's possible to do something:

| **¿se puede** | fumar en el Metro? |
| | aparcar en esta calle? |

| if it's possible, you'll be told: | sí, se puede |
| | sí, está permitido |

| if it's not possible, you'll hear: | no, no se puede |
| | no, está prohibido |

. . . where something can be done:

| **¿dónde se puede** | comprar un rollo de película? |
| | llamar por teléfono? |

. . . when something can be done:

| **¿cuándo** | **se puede** | visitar el museo? |
| **¿a qué hora** | | comer en el restaurante? |

. . . if you personally are allowed to do something:

¿puedo dejar el coche aquí?

2 How to ask someone else if they'll do something for you:

¿me puede | poner veinte litros?
mirar el aceite?

¿pueden repararme el neumático?

● Although *¿se puede . . .?* and *¿puedo . . .?* have a very similar meaning,

¿se puede . . .? is used when you want to know if it's generally possible to do something (even if you're asking out of curiosity).

¿puedo . . .? is used to ask if you personally can do something.

¿se puede | aparcar aquí?   ¿puedo | dejar el coche aquí?
fumar en el Metro?   fumar en su coche?

●● When asking if someone can do something for you, notice that *puede* and *pueden* can be used.

puede when you're asking one person to do it;
pueden when you're asking a group of people, or the person in charge (of a garage, hotel, bank, etc.)
Notice also that *me* ('for me') can be placed in two different positions without changing the meaning of the sentence.

¿me puede | poner veinte litros?   ¿puede | ponerme veinte litros?
mirar el aceite?   mirarme el aceite?

¿me pueden | reparar el neumático?   ¿pueden | repararme el neumático?
lavar el coche?   lavarme el coche?

Prácticas

1 ¿Dónde se puede . . .? Where can you do all these things? Ask the questions first, and then complete the answers.

Pregunta   ¿..?
Respuesta   Se puede jugar al fútbol en .... un parking
Pregunta   ¿..?
Respuesta   Se puede comprar gasolina en .... una lavandería
Pregunta   ¿..?
Respuesta   Se puede comer en .... un banco
Pregunta   ¿..?
Respuesta   Se puede lavar la ropa en .... el Museo de
Pregunta   ¿..?   Arte Abstracto
Respuesta   Se puede comprar un billete de avión en . . .   . . . un restaurante
Pregunta   ¿..?
Respuesta   Se peude cambiar moneda extranjera en . . . . . el Estadio Municipal
Pregunta   ¿..?
Respuesta   Se puede ver pintura moderna en .... una gasolinera
Pregunta   ¿..?
Respuesta   Se puede aparcar en .... una agencia de viajes

2 Right or wrong?

	Sí	No
1 La camisa de cuadros se puede lavar y planchar.		
2 El abrigo se puede lavar y planchar.		
3 Los pantalones negros se pueden limpiar en seco solamente.		
4 La blusa se puede lavar a mano pero no se puede planchar.		
5 El jersey se puede lavar a máquina.		
6 Las camisetas se pueden lavar y planchar.		
7 La chaqueta se puede limpiar en seco solamente.		
8 Los pantalones tejanos se pueden lavar a máquina pero no se pueden planchar.		
9 La falda de lana se puede lavar a mano solamente.		

3 Making enquiries Can you fill in the questions? The answers will help you.

(a) *En un garaje*

You want to know if it's possible to leave the car there; if the tyre you left with them has been repaired; if another tyre can be repaired; if they can wash the car and also check the oil.

Pregunta   ¿..?
Respuesta   No puede dejar el coche aquí, pero puede dejarlo en el parking.
Pregunta   ¿..?
Respuesta   Sí, el neumático está reparado.
Pregunta   ¿..?
Respuesta   No, este neumático no se puede reparar; está muy viejo.
Pregunta   ¿..?
Respuesta   Sí, le podemos lavar el coche.
Pregunta   ¿..?
Respuesta   Sí, también le podemos mirar el aceite. Puede dejar el coche allí enfrente.

(b) *En una pensión*

You want to know if it's possible to phone Newcastle from *la Telefónica*; if you can change some money in *la pensión*, and get a bus to the beach; you also want to know when you can visit the cathedral, and at what time you can have lunch in the restaurant.

Pregunta   ¿..?
Respuesta   Sí, desde la Telefónica se puede telefonear a Newcastle.
Pregunta   ¿..?
Respuesta   No, aquí no se puede cambiar moneda extranjera; tiene que ir a un banco.
Pregunta   ¿..?
Respuesta   No, hasta la playa no se puede coger ningún autobús, solamente se puede ir en coche o a pie.
Pregunta   ¿..?
Respuesta   La catedral se puede visitar todos los días.
Pregunta   ¿..?
Respuesta   En el restaurante se puede comer de 1 a 3.

4 Here are three short conversations about getting things repaired.
There are some words missing, however.

a) ¿Dónde se . . . reparar este reloj?
   En una relojería. Hay . . . en el Paseo de Gracia.
b) ¿Se puede . . . esta cámara fotográfica aquí?
   No, aquí no se puede. Tiene que ir a la . . . de fotografías allí enfrente.
c) ¿Me puede arreglar . . . zapatos?
   Ahora no puedo. ¿Puede usted . . . dentro de media . . . ?

5 Where would you see these signs? Match them with the most appropriate place.

a) **NO FUNCIONA**

b) **NO HABLAR CON EL CONDUCTOR**

c) **PROHIBIDO FUMAR**

d) **NO PISAR EL CÉSPED**

1 En un jardín público
2 En la carretera
3 En un autobús
4 En la puerta de una tienda
5 En una cabina telefónica
6 En el Metro

e) **CERRADO POR VACACIONES**

f) **OJO AL TREN**

Lectura

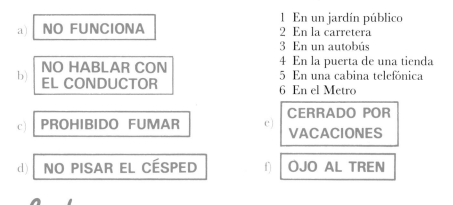

La Fiesta de San Mateo en Cuenca: las vaquillas

Las fiestas de San Mateo

For how long had the Moors occupied Cuenca before King Alfonso VIII and his troops reconquered it?
How many days do the festivities normally last?
Who and what accompanies the King's standard as it's carried across the square to the Town Hall?
What's the most awaited popular event of the festivities?
In what style do some young men like to perform with the aid of a red cloth?
Who thinks *la vaquilla* isn't dangerous, as long as you take a minimum of care?
Where can you eat, drink and play the guitar before having another go at running in front of, or behind, *la vaquilla*?

En el calendario religioso, el 21 de septiembre es el día de San Mateo. Para Cuenca, este día tiene una importancia especial. El 21 de septiembre de 1177, el Rey Alfonso VIII, rey de Castilla y de Toledo, y sus tropas cristianas, reconquistaron la ciudad de Cuenca de manos de los moros, que ocuparon la ciudad durante cuatro siglos y medio.

Cada año se celebran las fiestas con varias ceremonias oficiales y actos populares. Normalmente las fiestas duran tres días. Este año, 1977, duran cinco días porque es el Octavo Centenario de la reconquista: hace exactamente 800 años que Alfonso VIII entró en la ciudad.

La más importante de las ceremonias oficiales es el traslado del pendón del Rey Alfonso VIII desde la catedral hasta el Ayuntamiento, al otro lado de la Plaza Mayor. El alcalde y las autoridades de Cuenca, acompañados por una banda de música, cruzan la plaza.

La plaza y varias calles cercanas están cerradas al tráfico. No se puede pasar; no se puede aparcar. Hay mucha gente en las calles, detrás de las barreras, en las ventanas y en los balcones, gente joven y gente mayor. Todos esperan el acto más popular de las fiestas: las vaquillas.

La primera vaquilla sale del corral. La gente está muy animada. A algunos jóvenes les gusta torear la vaquilla con un trapo rojo, al estilo de los toreros. Para evitar accidentes, un 'maromero' controla los movimientos de la vaquilla con una cuerda o 'maroma'. La vaquilla corre por la plaza y por las calles cercanas. Después de un rato, los maromeros llevan el animal al corral, y sale otra vaquilla.

Antonio Illón Pérez es maromero desde hace 17 años. Normalmente trabaja de transportista. Le gustan muchísimo los toros y le gustaría ser torero. Dice que la vaquilla no es peligrosa para el maromero si tiene un poco de cuidado. Pero dice que para el público puede ser peligrosa.

Al alcalde, el Sr Villalobos Merino, le gusta la fiesta de la vaquilla. Dice: 'Mi edad ya no me permite participar, pero me gusta verla'. Dice que no es peligrosa para el público: 'con un mínimo de cuidado no es peligrosa'. Pero siempre hay algunos incidentes: ¡hay que tener cuidado!

Detrás de la Plaza Mayor, en la Plaza de San Miguel, la fiesta tiene un ambiente diferente. Aquí hay puestos de comida y bebida: salchichas, sardinas, patatas, vino, cerveza, y muchas cosas más. Grupos de amigos tocan la guitarra, cantan, beben y comen. Todo el mundo se divierte: la vaquilla no pasa por aquí. Pero para algunos, es solamente un momento de descanso antes de correr otra vez delante, o detrás, de las vaquillas.

A las ocho de la tarde la última vaquilla vuelve al corral, y cuando llega la noche todo está más tranquilo. A las once en la Plaza Mayor empieza la verbena, el baile al aire libre. La plaza está otra vez llena de gente, llena de música y canciones también. La noche es fresca y agradable. La gente baila. ¡Hasta el año próximo!

las vaquillas	*lit.* young cows, although the animals used in this event are often young bulls
de manos de	from the hands of
actos	events
ventanas	windows
'maromero'	'bull-handler', who holds the animal on the end of a long rope – a 'maroma'
después de un rato	after a while
le gustaría ser	he'd like to be
mi edad	my age
verla	to watch it
todo el mundo se divierte	everyone has a good time
un momento de descanso	a short rest
vuelve	returns to
la verbena	street party, dance (held at night time)
canciones	songs
fresca y agradable	cool and agreeable

Wanting to do things

Llamando por teléfono

quiero quisiera	hablar con .... alquilar .... reservar	I want I'd like	to speak to .... to hire .... to reserve ....

Televisión

At his hotel in Cuenca, *el señor Escutia* asks to have a call put through to London. But international lines are engaged and there is a three-hour delay, so he tells *la telefonista* to cancel the call.

La telefonista	Dígame.
Sr Escutia	Buenos días, señorita.
La telefonista	Buenos días.
Sr Escutia	Quiero llamar a Londres.
La telefonista	¿Qué número de Londres?
Sr Escutia	El 1632433.
La telefonista	*(making a note of the number)* 163 2433. Un momento, por favor. *(she calls the international exchange)* ¿Internacional? Buenos días, señorita. Quería una conferencia con Londres . . . ¿Están ocupadas las líneas? Un momentito, por favor. *(to el Sr Escutia)* ¡Óigame! Las líneas con Londres están ocupadas.

Sr Escutia	¿Qué demora hay?
La telefonista	*(to the international operator)* ¿Qué demora hay con Londres, por favor? . . . De acuerdo. *(to el Sr Escutia)* ¡Óigame! Con Londres hay tres horas de demora.
Sr Escutia	¿Tres horas? Puede anular la llamada.
La telefonista	Vale, queda anulada.
Sr Escutia	Muchas gracias.

11 MÁLAGA • MADRID — PARÍS

Conexiones desde: Connections from:												
Tenerife......... Sal.	08.55	08.55	.....	.....	.....	.....	.....	.....	11.00	.....	.....	
Las Palmas...... Sal.	08.50	08.50	.....	.....	.....	.....	.....	.....	11.20	.....	.....	
Sevilla.......... Sal.	.....	.....	.....	07.40	07.40	07.40	07.40	07.40	14.10s	17.35b	17.35c	
Alicante........ Sal.	.....	.....	.....	07.40	07.40	07.40	07.40	07.40	.....	17.50	17.50	
AF.: AIR FRANCE IB.: IBERIA VA.: VIASA	Y	F/Y	Y	F/Y	F/Y	F/Y	F/Y	F/Y	F/Y	F/Y	F/Y	
	AF. 542 Carav. ⑤	IB. 168 B. 727 ③⑥ ⑦	AF. 540 Carav. ①⑥ ⑦	IB. 162 DC-10 ①③ ⑦	IB. 162 B. 727 ②④ ⑥	IB. 162 S/DC-8 ⑤	VA. 702 DC-10 ③	AF. 510 B. 727 ✕	IB. 164 B. 727 ✕	AF. 514 A. 300-B ①③⑤ ⑥⑦	AF. 514 B. 727 ⑥⑦	
GMT				(A)			CCS ↓					
— 1 MÁLAGA Sal.	13.00 ✕ ↓	13.10 ✕ ↓	17.45 ✕ ↓	.....	.....	.....	09.55 ✕ ↓	10.35 ↓	17.25 ✕ ↓	20.15 ✕	20.15 ✕	
— 1 MADRID Sal.				09.45	09.45	09.45						
— 1 PARÍS (Orly) Lle.	15.35	15.25	20.20	11.35	11.35	11.35	11.45 ↓ AMS	12.20	19.15	22.00	22.00	

Riánsares wants to go to Paris next week, returning on November 7th. She goes to a travel agency, *una agencia de viajes*, to book a return flight. The nearest airport to Cuenca is Madrid, so she also needs to make sure there's a train that will get her to Madrid in good time.

Riánsares	Buenos días.
El empleado	Buenos días. *(inviting her to sit down)* Siéntese.
Riánsares	Gracias.
El empleado	¿Qué desea?
Riánsares	Quiero ir a París la semana próxima.
El empleado	¿Quiere usted ir en avión?
Riánsares	Sí, en avión, ida y vuelta.
El empleado	¿Qué día quiere ir?
Riánsares	El miércoles por la tarde.
El empleado	*(looking up the timetable)* Sí, el miércoles hay un vuelo desde Madrid que sale a las diecisiete veinticinco horas.
Riánsares	¿A qué hora llega el avión a París?
El empleado	Llega a las diecinueve quince horas.
Riánsares	¿Y a qué hora hay un tren para Madrid?
El empleado	Hay un tren que sale a las once y media y llega a Madrid a las dos de la tarde.
Riánsares	Quisiera reservar un billete para ese tren y para el avión del miércoles.
El empleado	¿Cuándo quiere volver de París?
Riánsares	El siete de noviembre. ¿A qué hora sale el avión de París?
El empleado	Sale a las diecisiete veinte horas.
Riánsares	Muy bien. ¿Cuánto cuesta todo?
El empleado	Diecinueve mil novecientas cincuenta y ocho pesetas. Puede recoger los billetes el lunes.
Riánsares	¿Puedo pagar el lunes?
El empleado	Sí, sí, por supuesto.

quería	I wanted
una conferencia	a (long-distance) call
queda anulada	it's cancelled
ese tren	that train
por supuesto	of course

Radio

1 Jordi is in Barcelona and wants to telephone Cuenca. He goes to *la Telefónica* but when the operator tries the number it is engaged.

Jordi	Señorita, buenas tardes. Quisiera hablar con Cuenca.
La telefonista	¿Con qué número de teléfono, por favor?
Jordi	El veintiuno, veinticinco, doce.
La telefonista	Un momento, que tomo nota. ¿Puede volver a repetir?
Jordi	Sí, señorita. El veintiuno, veinticinco, doce.
La telefonista	Un momento. *(she dials the number)* Dos, uno; dos, cinco; uno, dos. Lo siento, señor, este número está comunicando.
Jordi	Bien, déjelo. Gracias, señorita.

2 Pilar has an appointment to see *el Sr Pérez*, a local lawyer. First she speaks to his secretary. What time is the appointment?

Pilar	Buenos días.
La secretaria	Buenos días.
Pilar	Por favor, quisiera hablar con el señor Pérez.
La secretaria	¿Usted tiene cita?
Pilar	Sí, tengo cita con él a las once y media.
La secretaria	¿De parte de quién?
Pilar	De parte de la señora Martínez.
La secretaria	Un momento, que voy a llamar. *(she rings el Sr Pérez)* ¿Señor Pérez? Mire, aquí hay una señora, la señora Martínez, que quiere hablar con usted. . . . ¿Sí? . . . Bueno. . . . Gracias. *(she puts the telephone down)* ¿Quiere esperar un momento? Ahora va a venir el señor Pérez.
Pilar	Muchas gracias.

3 Jordi wants to hire a car to go to Málaga. At the agency he asks about the cost, the insurance, whether he can leave the car in Málaga, and what documents he needs. How much does it cost to hire a Seat 133 for a day?

Jordi	Buenas tardes. Quisiera alquilar un coche, por favor.
El empleado	Sí. ¿Qué clase de coche quiere? ¿Pequeño, grande, mediano?
Jordi	Un coche pequeño.
El empleado	Sí. Pues, tenemos Seat 133, Seat 127, Renault 5, Ford Fiesta.

Jordi	¿Cuál es la tarifa diaria por un Seat 133?
El empleado	Sí, el precio por día son quinientas cincuenta pesetas, y por kilómetro cinco pesetas con cincuenta céntimos.
Jordi	¿Todos los seguros están incluidos?
El empleado	Bueno, el seguro de terceros sí está incluido.
Jordi	¿Puedo dejar el coche en Málaga?
El empleado	Sí, tenemos oficina en Málaga.
Jordi	¿Qué documentos necesito?
El empleado	El carnet de conducir y el pasaporte, y también aceptamos ciertas tarjetas de crédito internacionales.
Jordi	Pues, alquilo un Seat 133.
El empleado	Muy bien.

4 Pilar is changing some sterling traveller's cheques in a bank.

Pilar	Buenos días.
El empleado	Buenos días.
Pilar	Por favor, quisiera cambiar dinero.
El empleado	¿Qué clase de moneda?
Pilar	Libras esterlinas en cheques de viaje. Quisiera cambiar veinte libras.
El empleado	Por favor, ¿me da su chequera? *(Pilar gives him the folder of cheques)*

Pilar	¿A cómo está el cambio de la libra?
El empleado	Hoy, a ciento cuarenta y ocho con sesenta. Por favor, ¿quiere firmar el cheque aquí? *(Pilar signs)* ¿Quiere darme su pasaporte, por favor?
Pilar	Aquí tiene.
El empleado	*(he checks the documents)* Correcto. Son pesetas dos mil novecientas noventa y dos, menos treinta y cinco pesetas de nuestra comisión y ochenta y dos céntimos de impuestos: dos mil novecientas cincuenta y seis pesetas. *(counting out the money)* Mil, dos mil, quinientas, seiscientas, setecientas, ochocientas, novecientas, cincuenta y cinco, cincuenta y seis . . . veinte.
Pilar	Muchas gracias.
El empleado	A usted.
Pilar	Adiós, buenos días
El empleado	Adios.

un momento, que tomo nota	one moment while I make a note
¿puede volver a repetir?	could you say it again?
este número está comunicando	this number is engaged
bien, déjelo	all right, leave it
¿de parte de quién?	what name is it?
un momento, que voy a llamar	one moment while I ring through
ahora va a venir . . .	. . . is just coming
el seguro de terceros	third party insurance
el carnet de conducir	driving licence
¿a cómo está el cambio?	what's the rate of exchange?

A propósito

La Telefónica (The Telephone Company) In 1924, when *La Compañia Telefónica Nacional de España (CTNE)*, normally called *la Telefónica*, was formed, it was almost entirely a subsidiary of ITT (International Telephone and Telegraph Corporation, New York). In 1945, the State acquired 41 per cent of the shares, the remainder being divided amongst almost half a million private shareholders. *La Telefónica* is now the third most important company in Spain. It is profitable, efficient; and offers some of the cheapest tariffs in the world.

You can phone the UK from your hotel, which will add a small surcharge to the cost of the actual call; from *Telefónica* offices, which in large towns are open 24 hours a day, or from public phone booths marked *Teléfonos* on a green background. In *la Telefónica*, the operator will put your call through and give you the bill afterwards.

In *un teléfono público*, place some 50 or 25 ptas coins in the slot, dial 07 and wait for the dialling tone; then dial the code for the country you're calling (e.g. UK 44), the town code (e.g. Bristol: 272) and finally the subscriber's number. If you need any help, dial 008, the international information service.

Teléfonos de Urgencia There is no central telephone emergency service in Spain, although in large towns the police (091) often deal with these calls. You will also find the various emergency services listed in public phone booths and the local newspapers.

En caso de urgencia If taken ill, or involved in an accident, you'll find municipal *Casas de Socorro* (free emergency units) in various parts of town where you will be given first aid. If the accident is more serious, *un Equipo Quirúrgico* will provide the same free service, and the medical staff will decide whether you can be sent back to your hotel or whether you should be taken to a hospital. If you are on the open road you will find *Puestos de Socorro* (First Aid Centres) manned by *la Cruz Roja* (the Red Cross). Hospitals are generally on the outskirts of towns, and you can of course go straight to the casualty department. There is no reciprocal agreement with Spain on National Insurance, so you will have to pay for hospital service and of course for a private doctor or *clínica*. It is advisable, therefore, to take out your own insurance for the duration of the trip. Any travel agency will assist you with this.

Ambulancias These aren't easy to get hold of, but in the event of an accident you can stop the first car that comes by, the driver being obliged to take you to the nearest first-aid centre. With someone in the front passenger seat waving a white handkerchief out of the window, and the driver sounding the horn, other traffic will give way as if the car were an ambulance. This is an established and accepted custom in Spain, and the fine for abusing it is very heavy.

Cheques Although you can go to any bank with your Eurocard and cheque book and take money out of your account as you would at home, remember that banks close to the public at 2 p.m. Mondays to Fridays, and 1 p.m. on Saturdays. *Cheques de viaje* (traveller's cheques) and bank notes can of course be changed at large hotels and at foreign exchange offices, where you'll be charged a slightly higher commission than in a bank. And don't forget your passport!

Resumen

1 Saying what you'd like to do

quisiera	reservar un billete
quiero	alquilar un coche
	ir a París
	llamar a Londres

quiero and *quisiera* are different ways of saying you'd like (to do) something; *quisiera* is more formal.

You might be asked to give more details

¿qué día quiere ir?
¿cuándo quiere volver?
¿quiere ir en avión?

or if you'd be kind enough to do something

¿quiere	firmar el cheque aquí?
	darme su pasaporte?
	esperar un momento?

2 Making phone calls

You might be asked

what number you want	¿qué número quiere?
to repeat what you've said	¿puede repetir?
and if you're unlucky you'll be told	
the line's engaged	está comunicando
or that it doesn't answer	no contesta

When you get through, the first word you'll hear will be *¡diga!* or *¡dígame!*

3 Difficulties

If you don't understand what has been said, you can ask for it to be repeated:

> ¿puede repetir, por favor?

for it to be said more slowly:

> más despacio, por favor

or   ¿puede hablar más despacio, por favor?

or just say   ¿cómo?

● **puede** and **quiere**

If you're asking someone to do something *¿quiere (esperar un momento?)* means 'would you . . .?', while *¿puede (volver dentro de una hora?)* means 'could you . . .?'.

Prácticas

1 *La Sra Vila* is on a business trip. Her first appointment is at 9.30 with *el Sr Romero*. At the reception desk her appointment is confirmed but she has to ask where Sr Romero's office is.

La recepcionista Buenos días. Dígame.
Sra Vila ....
La recepcionista ¿Tiene usted cita?
Sra Vila ....
La recepcionista ¿De parte de quién?
Sra Vila ....
La recepcionista Un momento, por favor. *(rings Sr Romero's secretary)* Aquí la recepción. La señora Vila quiere ver al señor Romero. Tiene cita a las nueve y media . . . Sí, bueno. Gracias. *(to Sra Vila)* Puede usted subir.
Sra Vila ¿..?
La recepcionista El despacho del señor Romero está en el tercer piso. Suba en el ascensor, por allí. Es la segunda puerta a la derecha.
Sra Vila ....
La recepcionista De nada, señora.

2 **Fill in the missing words** and match the sentences with the places where they're most likely to have been said.

Frases	**Lugares**
a) Quisiera .... cheques de viaje.	Una calle
b) ¿Cuándo quiere .... de Barcelona?	Un hotel
c) ¿Dónde se puede .... un coche?	Un banco
d) ¿Puede .... también el aceite?	Una agencia de viajes
e) Ésta solamente se puede .... en seco.	Un garaje
f) ¿Dónde puedo .... un autobús para la	Una lavandería – tintorería
Plaza Mayor?	Una oficina
g) ¿Quiere .... el cheque, por favor?	
h) Ahora va a .... un mecánico.	
i) ¿Se puede .... esta camisa?	
j) Quisiera .... dos billetes para el barco de las siete y quince.	
k) ¿Cuántas libras quiere ....?	
l) ¿Se puede .... aquí?	
m) ¿Me pueden .... estos pantalones para esta tarde?	
n) ¿Quiere ...... en avión?	
o) ¿A qué hora puedo volver a .... el coche?	
p) ¿Puedo .... el equipaje aquí?	
q) ¿Quisiera .... con el señor Pérez.	

Use the following verbs once only, except for *cambiar* which can be used twice:

aparcar – alquilar – reservar – cambiar – firmar – coger – recoger – dejar – ir – venir – volver – lavar – limpiar – planchar – hablar – mirar

3 **You and your friend want to go to Ibiza next Wednesday, returning to Barcelona on Sunday.** First you look up the timetable and decide which flights you want there and back, then you phone the travel agency to book your tickets.

48 BARCELONA ● PALMA DE MALLORCA — IBIZA ● MENORCA

(A) El servicio de los LUNES será operado 1.25 HORAS MAS TEMPRANO.
(A) MONDAY flights will be operated 1.25 HOURS EARLIER.

Jaime	El miércoles hay dos vuelos. Uno sale a las nueve y media de la mañana y el otro a las siete menos cinco de la tarde.
Usted	¿..?
Jaime	El de la mañana llega a Ibiza a las diez y diez.
Usted	....
Jaime	Sí, yo también prefiero el de la mañana. ¿Y para volver a Barcelona el domingo, cuántos vuelos hay?
Usted	....
Jaime	Bueno, pues el de la tarde, ¿no?
Usted	....
Jaime	Vale. ¿Telefoneamos al Sr Rodrigo de la agencia de viajes para reservar los billetes?
Usted	.... ¿............................?
Jaime	*(looking up the telephone number)* 234.69.11. *(You dial the number; a secretary answers)*
Secretaria	Agencia de Viajes Continental, dígame.
Usted	...................., ...
Secretaria	¿De parte de quién?
Usted	....
Secretaria	Un momentito, por favor. *(she puts you through)*
Sr Rodrigo	Buenos días. Dígame.
Usted	....
Sr Rodrigo	¿Ida y vuelta?
Usted	....
Sr Rodrigo	¿Cuándo quieren ir?
Usted	...................., ...
Sr Rodrigo	¿Y cuándo quieren volver de Ibiza?
Usted	...................., ...
Sr Rodrigo	Muy bien. ¿Quieren viajar en primera clase o en clase turista?
Usted	....
Sr Rodrigo	Bien. En clase turista son 7.076 pesetas. ¿Sus nombres, por favor?
Usted	Jaime Rovira y ....
Sr Rodrigo	Vale. ¿Cuándo quieren venir a recoger los billetes?
Usted	....
Sr Rodrigo	De acuerdo. Hasta mañana pues.
Usted	...................., ...

Lectura

¿Cuál es su ocupación?

Does Conchi work the same hours every day?

Do banks in Spain open five, or six days a week?

How many trees can a man cut in a day a) with an axe, b) with a chainsaw?

Would you work up in the mountains when it's raining, snowing, or 25° centigrade below zero?

Does José have a holiday in summer, or at Christmas, or at any time?

Conchi, la telefonista del Hotel Alfonso VIII

Conchi (Conchita) es telefonista. Trabaja en el Hotel Alfonso VIII, en el centro de Cuenca.

Eduardo	¿Cómo se llama usted?
Conchi	Conchita López Escamilla.
Eduardo	¿De dónde es usted?
Conchi	De Cuenca.
Eduardo	¿Cuál es su ocupación?
Conchi	Soy telefonista.
Eduardo	¿Cuál es su horario?
Conchi	Eh, a veces de ocho a cuatro, otras de cuatro a doce.
Eduardo	¿Cuántos días trabaja a la semana?
Conchi	Trabajo seis días.

Como casi todos los bancos más importantes, el Banco de Bilbao tiene sucursales en todas las ciudades y pueblos grandes de España. En la sucursal de Cuenca, Cynthia entrevista al Sr Luis González Blanco.

Cynthia	¿Es usted el director de este banco?
Sr González	Sí, soy el director.
Cynthia	¿A qué hora se abre el banco?
Sr González	A las nueve de la mañana.
Cynthia	¿A qué hora se cierra?
Sr González	A las dos de la tarde.
Cynthia	¿Se abre también los sábados?
Sr González	Igual que el resto de la semana.
Cynthia	¿Esto es para todos los bancos de España?
Sr González	Para todos los bancos de España.
Cynthia	¿Se puede cambiar dinero en todos los bancos?
Sr González	En todos exactamente igual que en éste.

La principal industria de Cuenca es la maderera. Los bosques de pinos (unas 53.000 hectáreas de montes)* son propiedad del Ayuntamiento desde los

Cortando árboles en la sierra

tiempos de Alfonso VIII. La madera es una de las principales riquezas del municipio. Constancio Pereira, de la provincia de Teruel, lleva 22 años trabajando en el monte, cortando pinos.

Eduardo	Hoy se usan sierras mecánicas; antes se utilizaban hachas. ¿Cuál es la diferencia?
Constancio	Pues un hombre con un hacha puede cortar 20 árboles de éstos; con una motosierra puede cortar 90, o 100.
Eduardo	¿En un día?
Constancio	En un día, sí.

En el monte se trabaja de las ocho de la mañana a la una, y de tres a seis de la tarde. En invierno, llueve mucho y nieva mucho, pero hay que trabajar todos los días. La temperatura puede llegar a 25° (centígrados) bajo cero. Antes, los árboles cortados eran transportados por el río Júcar hasta Cuenca capital; las canciones folklóricas conquenses lo recuerdan. Ahora el transporte se hace por carretera, en camiones.

Mucha de la madera que sale de la fábrica de Cuenca se transporta a Valera de Abajo, un pueblecito a 45 kilómetros de Cuenca. En Valera hay 45 talleres de carpintería, y la mayoría de los hombres son carpinteros. La carpintería es la ocupación tradicional de Valera desde hace siglos. Todos hacen puertas y ventanas. Las casas del pueblo, naturalmente, reflejan el talento de los carpinteros locales. José Coronado trabaja con sus dos hermanos en su taller.

Eduardo	¿A qué hora empiezan a trabajar por la mañana?
José	A las ocho.
Eduardo	¿Hasta qué hora?
José	Hasta las tres.
Eduardo	¿Y por la tarde?

*1 hectárea = 10.000 m².

Valera de Abajo: un carpintero en su taller

José	Por la tarde de cinco a nueve y media.
Eduardo	José, ¿tiene usted vacaciones?
José	No, señor.
Eduardo	¿Ni en verano, ni en Navidad?
José	Vacaciones, nada; aquí no tenemos vacaciones.
Eduardo	¿Cuántas puertas hacen ustedes cada semana?
José	¿En este taller?
Eduardo	En este taller, sí.
José	Pues unas cuarenta o cincuenta.
Eduardo	¿Y cuántas puertas salen de Valera de Abajo cada semana?
José	Pues, sobre las dos mil, o por ahí.

Las puertas y las ventanas hechas en Valera de Abajo se venden en toda España, y también en el extranjero.

En Valera la carpintería es una tradición que sigue viva.

a veces	sometimes
sucursales	branches
entrevista al . . .	interviews . . .
bosques	woods, forests
lo recuerdan	(they) recall it
puertas y ventanas	doors and windows
en el extranjero	abroad
que sigue viva	that is still alive

Revision

Cuenca: la parte antigua

Radio *(for Television, see* Lectura *pp. 128–130)*

1 Pilar decides to buy herself a T-shirt. She finds there's a wide range of colour and styles.

La dependienta	Buenos días. ¿Qué desea?
Pilar	Quisiera una camiseta.
La dependienta	¿Para usted?
Pilar	Sí.
La dependienta	¿Qué talla quiere?
Pilar	La talla cuarenta.
La dependienta	Tenemos ésta en blanco, ésta en azul marino y blanco y ésta en verde. Ésta es como muy cómoda, ésta otra es más moderna, y ésta es muy ligera.
Pilar	¿Cuánto vale ésta?
La dependienta	Setecientas diez.
Pilar	¿Y la azul?
La dependienta	Ochocientas cincuenta.
Pilar	¿Y la verde?
La dependienta	Cuatrocientas noventa y cinco.
Pilar	Prefiero ésta, la verde.
La dependienta	¿Se la envuelvo?
Pilar	Sí, por favor. *(the girl wraps it up)* ¿Cuánto es?
La dependienta	Cuatrocientas noventa y cinco.
Pilar	*(paying)* Quinientas pesetas.
La dependienta	*(giving her the change)* Y cinco, quinientas.
Pilar	Muchas gracias.
La dependienta	Adiós, buenos días.
Pilar	Adiós.
La dependienta	Adiós.

2 Pedro is a local chef so he's well qualified to talk about Cuenca's regional dishes. He also describes a dish which is not from Cuenca. Where is it from?

Eduardo	Buenos días.
Pedro	Buenos días.
Eduardo	¿Cómo se llama?
Pedro	Pedro Lucas.
Eduardo	¿Cuál es su profesión?
Pedro	Cocinero.
Eduardo	Señor Pedro, ¿cuáles son los platos típicos de Cuenca?
Pedro	Típicos de Cuenca hay el morteruelo castellano, que se hace con hígado, conejo, pan rallado y especias.
Eduardo	¿Qué más?
Pedro	Hay el cordero al jerez, jamón serrano a la plancha, también se hace la paella valenciana.
Eduardo	Pero no es típico de Cuenca.
Pedro	No es típico de Cuenca.
Eduardo	¿Qué hay en una paella?
Pedro	Pues, hay mejillón, hay almejas, lleva ajo, judías verdes, guisantes y langostinos . . .
Eduardo	Y arroz.
Pedro	Y arroz.
Eduardo	Muchas gracias.

3 Eduardo talked to the receptionist at a large and luxurious campsite at Gavá, on the coast just south of Barcelona. What was the campsite called and what aren't you allowed to do after 11 o'clock at night?

Eduardo	¿Dónde estamos?
El recepcionista	Estamos en el camping Albatros, Gavá, Barcelona.
Eduardo	¿Qué hay en el camping?
El recepcionista	Tenemos el restaurán, el snack-bar, tenemos peluquería para caballeros, peluquería para señoras, un supermercado con todos los alimentos necesarios para cualquier persona. Tenemos un estanco. También tenemos una tienda de souvenirs, también tenemos una tienda de periódicos, y después para los niños un parque infantil, y los lavabos, que hay cuatro lavabos en este camping.
Eduardo	El camping tiene playa. ¿Es playa privada?
El recepcionista	No, en España ninguna playa es privada. Todo es del Estado.
Eduardo	¿Se puede beber agua corriente en el camping?
El recepcionista	Sí, toda el agua del camping es potable.
Eduardo	¿Qué es lo que no se puede hacer en el camping?
El recepcionista	Por ejemplo, jugar al fútbol. No se puede jugar al fútbol en el camping, y tampoco a partir de las once de la noche no se puede tener una televisión ni una radio enchufada.
Eduardo	¿Cree usted que hoy el camping tiene ventajas sobre el hotel?
El recepcionista	Muchas.
Eduardo	¿Cuáles, por favor?
El recepcionista	Sobre todo mucha más libertad, mucha más libertad que un hotel. En un hotel tenemos unas horas para comer, para dormir. En cambio aquí se hace todo cuando una persona lo necesita.

ésta es como muy cómoda	this one is very comfortable
¿se la envuelvo?	shall I wrap it for you?
se hace	one makes; one does
a la plancha	grilled
todo es del Estado	it all belongs to the State
agua corriente	running water
¿qué es lo que	
no se puede hacer?	what *can't* you do?
a partir de las once	from 11 o'clock onwards
¿cree usted que . . .?	do you think that . . .?
en cambio	on the other hand

A propósito

Medidas

The following is a table of comparative sizes which should be useful.*

Mujeres	GB	España	Hombres	GB	España
Vestidos,	10	40	Camisas	14	36
camisas,				$14\frac{1}{2}$	37
trajes,	12	42		15	38
etc.				$15\frac{1}{2}$	39
	14	44		16	40
				$16\frac{1}{2}$	41
	16	46			
			Pantalones	28/24	71/61
	18	48		30/26	76/66
				32/28	81/71
				34/30	86/76
				36/32	91/81
Zapatos	4	37	Zapatos	7	$40\frac{1}{2}$
	$4\frac{1}{2}$	$37\frac{1}{2}$		$7\frac{1}{2}$	41
	5	38		8	42
	$5\frac{1}{2}$	$38\frac{1}{2}$		9	43
	6	39		10	$44\frac{1}{2}$
	$6\frac{1}{2}$	40		$10\frac{1}{2}$	45

Inches to centimetres (1 inch = 2,54 *centímetros*)

26″	66,04 cm	38″	96,52 cm
28″	71,12 cm	40″	101,60 cm
30″	76,20 cm	42″	106,60 cm
32″	81,28 cm	44″	111,76 cm
34″	86,36 cm	46″	116,84 cm
36″	91,44 cm	48″	121,92 cm

*However, remember that in any country sizes can vary from one manufacturer to another.

De lujo

Primera categoría

Segunda categoría

Tercera categoría

Camping

There are over 600 camp sites in Spain, most of them along the Mediterranean coast, and the majority of those near the French border, on the *Costa Brava* and the *Costa Dorada*.

Inland there are very few camp sites. Between Madrid and Valencia, for instance, on the Nacional III, a distance of 356 kms, there are only two sites; between Madrid and Barcelona, on the Nacional II, 620 kms, there are only six. However, you can camp on open ground (with the owner's permission) as long as you pitch your tent at least 50 metres from the main road, 1 km from a town, village or fountain, and 100 metres from a 'national monument'.

You are not required in Spain to have a Camping Card, though it's a good idea to bring one because you can leave this at the camp site reception rather than your passport, which you may need for other things, like changing money, or collecting mail from the post-office (see p. 22).

Prices vary according to category of camp site, and children under 10 get a reduction. Children under 16 have to be accompanied by an adult, and from 16 to 18 they must have written permission from parents or legal guardian to travel by themselves. This applies to all forms of travel and on long-distance trains you'll often see police asking for identification from young people travelling on their own.

Auto-stop (Hitch-hiking)

Spaniards are not generally inclined to stop for hitch-hikers, but once you do get a lift it's liable to be a long one. Lorries are usually only insured for one passenger, so if there are two of you don't expect them to be too helpful.

Resumen

Summary of chapters 6–10

1 Eating and drinking

You can order something to eat or drink	**para mí**	un café con leche
	yo quiero	un steak a la pimienta
	yo	un helado de fresa

2 Travelling

You can ask the way	**¿cómo se llega a**	Málaga?
	¿para ir a	

Some directions you're likely to be given

you	take follow go up go down	(usted)	coge/toma sigue sube baja	(ustedes)	cogen/toman siguen suben bajan

	have to take		tiene que | coger
			           tomar
					tienen que | coger
					            tomar

You can buy rail or bus tickets: un billete para Toledo, por favor

return	ida y vuelta	first		primera	
single	ida solamente	second	class	segunda	clase

You can ask from which platform
or from where the train or bus
leaves

¿de | qué andén | sale?
    | dónde

and at what time it leaves
and arrives at destination

¿a qué hora | sale?
        | llega?

3 You can ask . . .

if it's possible
to do something

¿se puede aparcar aquí?

where it's possible
to do something

¿dónde se puede | comprar un periódico?
                | alquilar un coche?

at what time, or
when it's possible
to do something

¿a qué hora
¿cuándo | **se puede** | comer en el restaurante?
                        | visitar el museo?

if a person, or persons
can do something for you

¿me | **puede** | lavar el coche?
     | **pueden** | cambiar mil pesetas?

or

¿puede | lavarme el coche?
¿pueden | cambiarme mil pesetas?

and if *you* can do
something

¿puedo | venir el domingo?
       | dejar el equipaje aquí?

4 You can say you want,
or would like to do

quiero
quisiera | reservar dos billetes
ir a Madrid para una semana
hablar con el director

VERBS

When used after *se puede, quiero, quisiera etc*, verbs end either with –*ar*, –*er* or –*ir*,
e.g.:

alquilar	beber	ir	
bajar	comer	repetir	
hablar	poner	subir	This form of the verb
tomar, etc.	volver, etc.	venir, etc.	is called *the infinitive*

When used other than in the infinitive, many verbs follow a regular pattern, e.g.:

Infinitive	Talking about yourself ('I')	Addressing	
		another person ('you')	other people ('you')
desear	deseo	desea	desean
tomar	tomo	toma	toman
beber	bebo	bebe	beben
comer	como	come	comen
subir	subo	sube	suben
vivir	vivo	vive	viven

In order to show what this pattern is, we have included some forms that have not occurred in the teaching sections so far.

Many verbs, however, don't quite follow this simple pattern.

ir	voy	va	van
querer	quiero	quiere	quieren
preferir	prefiero	prefiere	prefieren
poder	puedo	puede	pueden
salir	salgo	sale	salen
tener	tengo	tiene	tienen

And there are two verbs for 'to be':

estar	estoy	está	están
ser	soy	es	son

estar   is used to say where something is located
ser   is used to say who someone is, or what something is

You have also learnt to use   **hay**   there is/are
                  and   **deme**   give me

TIME
The 12-hour clock   ¿Qué hora es?

es la una   son las dos   las seis y diez   las seis y veinte

las seis y cuarto   las seis y media   las siete menos cuarto   las siete menos cinco

124

The 24-hour clock

las diez treinta

las quince veinte

las dieciocho
cuarenta y cinco

las veinte
cincuenta y dos

You can add: de la mañana   de la tarde   de la noche

Prácticas

1 Look at the chart of Spanish camp sites on p. 122 and answer these questions.

1 ¿Tienen duchas todos los campings? ....

2 ¿Cuáles son los campings sin teléfono? ....

3 ¿Cuáles son los campings que no tienen árboles? ....

4 ¿Cuáles son los campings que tienen luz eléctrica? ....

5 ¿Tienen piscina todos los campings? ....

2 This is a receipt from *el Camping Ibaya*. Are the following statements correct? Tick the relevant box.

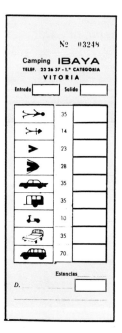

1 Acampar una noche dos personas con coche y caravana cuesta ciento treinta pesetas.

2 El precio de acampar dos niños es igual al precio de poner una tienda grande.

3 Se paga en este camping igual por un coche que por una caravana.

4 En este camping dos personas una noche pagan igual que una 'vespa' siete noches.

5 Acampar un autocar es más barato que tener tres coches en el camping.

6 Se pagan dos duros más por una tienda grande que por una pequeña.

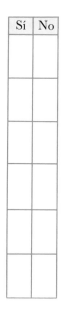

Now work out how much you have to pay if you camp with:

a) Tres amigos, un coche y dos tiendas pequeñas.   .... ptas.

b) Su esposa, cuatro hijos pequeños, coche y caravana.   .... ptas.

c) Un amigo, una tienda pequeña y una 'vespa' durante tres noches.   .... ptas.

NOMBRE DEL ESTABLECIMIENTO DIRECCION Y TELEFONO	Grupo	Categoria	Precio maximo habitación				Precios Comedor			SERVICIOS
			Sencilla con baño	Sencilla sin Baño	Doble con Baño	Doble sin Baño	Desayuno	Alm. y Cena	Pensión Alimenticia	
Meliá Don Pepe Finca Las Merinas Tel. 77 03 00	Hotel	★★★★★ G.L.	2400		3900		170	1000	1850	1-2-3C-6
Golf Hotel Nueva Andalucia Tel. 81 11 45	Hotel Resd.	★★★★★	1495		2750		125			1-2-3C 5-6
Marbella Club CN-340, Km.184 Tel. 77 13 00	Hotel	★★★★	1200		2500		150	750	1320	1-2-3-6
Artola CN-340, Km.201 Tel. 83 13 90	Hotel	★★★	500		775		80	350	660	2-3-5-6
Bellamar CN-340, Km.188 Tel: 77 23 00	Hotel	★★★	400		650		75	350	450	2-3-6
Paco Peral, 14 Tel. 77 12 00	Hostal Resd.	★★	135			280				2-4
Aranda Fernando El Católico, 9 San Pedro de Alcântara	Hostal Resd.	★		130		145				4

SERVICIOS   **1** Aire acondicionado   **2** Calefacción central   **3** Piscina
3C   Piscina climatizada   **4** Situación central   **5** Golf   **6** Tenis

3 Here is an extract from *la lista de hoteles de Marbella*. In which hotel would you hear the receptionist saying:

1 Sí señora, tenemos calefacción en las habitaciones dobles sin baño.
2 El precio de una habitación doble con baño es setecientas setenta y cinco pesetas.
3 No, no tenemos habitaciones con baño.
4 Sí señor, tenemos piscina climatizada y campo de golf.
5 Sí señorita, todas las habitaciones son sin baño.
6 No, no tenemos teléfono.
7 La habitación sencilla con baño es más cara que la pensión alimenticia.
8 Sí señor, el Hotel Bellamar está cerca, a cuatro kilómetros.
9 Sólo las habitaciones sencillas tienen baño.
10 La habitación doble y la pensión alimenticia para dos son dos mil noventa y cinco pesetas al día.

4 Look at the advert offering January discounts, and see if these sentences are correct.

	Sí	No
1 El litro de aceite de oliva cuesta más que el litro de brandy.		
2 El detergente es lo más barato.		
3 El arroz es más barato que las alubias.		
4 En la tienda de comestibles venden tres tipos de vino.		
5 Las bolsas de basura cuestan menos de dos duros.		
6 La ginebra es una bebida muy barata.		

7 Un cuarto de kilo de fiambre cuesta 37 ptas.

8 Un kilo de queso Meseta cuesta más que ocho cajitas de El Caserío.

9 Las latas de filetes de caballa pesan más de un cuarto de kilo.

10 Es más económico comprar una lata doble de leche condensada que dos normales.

11 Con 25 ptas puedo comprar dos sobres de sopa Gallina Blanca.

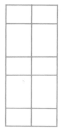

SUPER-6 DESCUENTO
CONTRA LA CUESTA DE ENERO
Avenida de Santa Cecilia 13-Sevilla

Aceite oliva Coosur 1lto.(0'5°) **79'**	**Queso** Meseta 1kilo **240'**	**Neoclor** Lejía blanca **12⁵⁰**	**Sopas** Gallina Blanca **13⁵⁰**
Bolsas basura SPAR **9⁵⁰**	**Tinto Rioja** Arisabel **25'**	Detergente **BETIS** **5'**	**TULIPAN** 250 GRS. **18'**
Jabón coco Piropo **11'**	**Filetes Caballa** ANA 170grs. **20'**	**Tinto Rioja** Campo Viejo **45'**	**Fiambre paleta** extra 1kilo **148'**
Galletas Principe **19⁹⁰**	**SKIP** 5 KILOS **279'**	**Brandy** 501 1lto. **79'**	**ALUBIAS** 1 KILO **39'**
El Caserío Cajita 8 porc. **27⁹⁰**	Leche Cond. Normal **33'** LA LECHERA Doble **64⁵⁰**	**Ginebra** Larios 1lto. **123'**	**Arroz** 1KG. CIGALA **31'**

5 You'll find this information in the Madrid telephone directory

POLICIA	GUARDIA CIVIL	BOMBEROS	CASA DE SOCORRO
091	23 22 96	23 21 23	25 34 97 / 22 32 82

TELEFONOS PARA CASOS URGENTES

INFORMACION:
Urbana (5) **003**
Interurbana de Centros comprendidos en la Red Automática de esta Provincia (1) **003**
Interurbana de Centros correspondientes a otras Provincias (1) Internacional (1) **008**

Marque el número que corresponda a una petición de conferencia a través de operadora con la población cuya información desea.

SERVICIOS PUBLICOS
Renfe: *Teléfonos 733 30 00*
Taxis: *247 82 00*
Lineas Autobuses: *Teléfono 401 99 00*
Aeropuerto Barajas: *Teléfono 205 43 72*
Bomberos: *232 32 32*
Policía: *091*
Policía Municipal: *092*
Grúa Municipal *247 46 35*
G.C. de Tráfico: *457 77 00*
Funeraria: *Teléfono 242 13 00*

GUIA DE UTILIDADES

| GRAN BRETAÑA | | Indicativo Nacional | 07 44 |

LONDRES 1	Cambridge 223	Glasgow 41	Oxford 865
Belfast 232	Cardiff 222	Leeds 532	Plymouth 752
Birmingham 21	Coventry 203	Leicester 533	Portsmouth 705
Blackpool 253	Derby 332	Liverpool 51	Sheffield 742
Bournemouth 202	Dundee 382	Manchester 61	Slough 753
Brighton 273	Edimburgo 31	Newcastle 632	Southampton ... 703
Bristol 272	Exeter 392	Nottingham 602	Wolverhampton ... 902

Now see if you can answer these questions

1 Si marco el dos tres, dos uno, dos tres, ¿con quién quiero hablar?
2 Si tengo un accidente, ¿a qué número llamo?
3 ¿A qué número llamo si necesito información sobre un teléfono en Gran Bretaña?
4 Si llamo al dos cinco, tres cuatro, nueve siete y está comunicando, ¿a qué otro número puedo llamar?
5 Si marco el cero siete, cuatro cuatro, siete cinco dos desde España, ¿con qué ciudad británica conecto?
6 ¿Qué número de teléfono tiene la Guardia Civil?
7 Para información de aviones en el aeropuerto, ¿a qué número llamo?
8 ¿A qué número llamo si me roban el dinero?
9 Para llamar a Bristol, ¿qué número necesito marcar antes del número de Bristol?
10 Si quiero saber si hay un Talgo de Madrid a Valencia, ¿qué número tengo que marcar?
11 ¿Cuál es el indicativo urbano para Southampton?
12 ¿A qué número tengo que llamar para obtener información de teléfonos de Madrid?

Lectura

Cuenca: el río Júcar: una niña juega en el agua

Un domingo en Cuenca

What does Radio Cuenca wish its listeners when the Mangana clock strikes seven?

Where will the guests go after the wedding in the cathedral?

Who goes swimming in the river whenever she can?

Who stays at home while her husband goes to the football match?

Who likes Westerns?

Why can Fermín get up late on Monday mornings?

Son las siete de la mañana en el Reloj de Mangana. 'Muy buenos días. Radio Peninsular de Cuenca saluda a sus oyentes.' Hay poca gente en las calles y en las plazas. Todas las tiendas están cerradas. Es domingo.

Un poco más tarde, los kioscos y algunas panaderías abren, y los primeros clientes llegan para comprar los periódicos y el pan.

A las ocho empiezan las misas en las iglesias. En la catedral hay misas a las ocho, a las ocho y media, a las diez menos cuarto, a las once, a las doce y a la una. En verano hay otra misa por la tarde. ¿Es religiosa la gente de Cuenca? 'Generalmente sí,' dice don Casimiro, el párroco en la catedral, 'aunque siempre hay un grupo que deja algo que desear.'

A las once y media, en la catedral, hay una boda. Los familiares y los invitados esperan a la novia, que llega vestida de blanco. Después de la ceremonia religiosa, todos van a un hotel para el banquete.

El río Júcar es un lugar muy popular los domingos. Familias y grupos de amigos encuentran aquí aire puro, sol y un bonito paisaje. Algunos lavan el coche. Los niños juegan. A Cynthia le gusta más nadar en el río que en la piscina, 'porque el río me parece más limpio,' dice. ¿Viene todos los domingos? 'Siempre que puedo.' Alicia prefiere bañarse en el mar; para ella el agua del río está muy fría. Y el agua está realmente muy fría: mantiene el vino fresco hasta la hora de comer. Ensalada, tortilla española, yogurt, fruta (especialmente las sandías grandes y rojas) es lo que se prefiere comer en verano.

Después de comer, algunos juegan a las cartas, leen, y las señoras hacen punto. Otros se dedican a la pesca. Además de la trucha, en el Júcar se encuentran otros tipos de peces, todos buenos para comer; en un día, un pescador experto puede pescar unos dos o tres kilos.

En Cuenca capital hay mucha tranquilidad, excepto en el campo de fútbol. Aquí hay gran animación. A las cuatro empieza el partido y el equipo local, la Unión Balompédica Conquense (1ª División Regional), juega contra un equipo de Madrid. Una señora dice que prefiere los toros, pero los aficionados siguen el partido con mucho interés, y los seguidores del equipo local animan a sus jugadores. El capitán, Andrés Álvarez Valencia, juega de defensa lateral derecho. ¿Hay afición en Cuenca? 'Sí,' dice al final del partido, 'creo que sí, y buena.' El resultado es dos a uno a favor de la Balompédica. Los seguidores están entusiasmados con la victoria.

A las seis de la tarde, más o menos, empieza el paseo. La gente se pasea por las calles, se encuentra con amigos, se sienta en los bares a charlar y a tomar un refresco o un helado. Mari Luz, como otros chicos y chicas jóvenes que prefieren bailar y escuchar música, va con sus amigas a una discoteca. Normalmente las discotecas abren a las siete. Mari Luz se queda hasta las nueve o las diez y entonces va a su casa a cenar.

Juan Jesús y su familia están en casa. En verano, los domingos, van al campo y Juan Jesús pesca. En invierno, Carmen se queda en casa con los niños mientras su marido va al fútbol, y luego salen de paseo. Por la noche se quedan en casa a ver la televisión. ¿Qué tipo de programas les gusta? 'Pues, las películas y el teatro,' dice Carmen. A Juan Jesús también le gustan las películas de cine que hay en la televisión. A los niños, claro, les gustan los programas infantiles y los dibujos animados. A las nueve el más pequeño de los hermanos está dormido.

A las nueve, las calles están llenas de gente que pasea y mira los escaparates de las tiendas. Los bares están muy animados. En el Bar-Restaurante Mangana la gente come, bebe, habla, juega al 'millón'. Para Fermín, el dueño, el domingo no es un día de descanso; al contrario, tiene mucho trabajo atendiendo a los clientes. Hace 31 años que lleva este bar-restaurante. Abre a las nueve de la mañana y normalmente cierra a las once y media o a las doce de la noche; los sábados y domingos, un poco más tarde.

A las diez de la noche empieza la última sesión en los cines. En el Cine España la gente compra las entradas. Eduardo entrevista a una señora de Albacete que visita Cuenca.

Eduardo	¿Le gusta el cine?
La señora	Muchísimo.
Eduardo	¿Qué le gusta más, el cine o la televisión?
La señora	El cine, por supuesto.
Eduardo	¿Va usted al cine todos los domingos?
La señora	Sí, y en medio de semana también voy.
Eduardo	¿Qué película va a ver?
La señora	Hoy me parece que es . . . 'Me siento extraña'.
Eduardo	¿Qué tipo de película le gusta a usted?
La señora	Pues, en general, todas; del oeste, dramáticas, todas.
Eduardo	¿Les gustan las películas modernas, las películas sexy?
La señora	Sí, pero con mucho sexo no.

Todo el mundo se divierte los domingos. Pero para Fermín el día de descanso es el lunes. El lunes se levanta un poco tarde y sale con los amigos a tomar unas cañas, a pasear o al cine.

Son las doce y media en el Reloj de Mangana. Para muchos el día de descanso ha terminado. Fermín cierra las puertas del bar. Para él, el día de descanso empieza. ¡Buenas noches!

párroco	parish priest
me parece	seems to me; I think
sandías	watermelons
leen, hacen punto	read, knit
seguidores	supporters (*lit.* followers)
defensa lateral derecho	right full back
charlar, bailar, escuchar	to talk, to dance, to listen to
dibujos animados	animated cartoons
está dormido	is asleep
'millón'	pin-table
'Me siento extraña'	*I feel strange*
unas cañas	a couple of jars
ha terminado	has ended

What's usually done

Cuenca

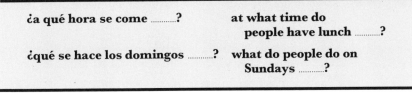

¿a qué hora se come ....?	at what time do people have lunch ....?
¿qué se hace los domingos ....?	what do people do on Sundays ....?

Radio

1 Francisco, a waiter, told Jordi about eating times and habits in Barcelona and the rest of Spain. Which is normally the lighter meal, lunch or dinner?

Jordi   Usted, señor Francisco, es camarero. ¿A qué hora se come en España?

Francisco   Pues, normalmente se come de una y media a tres. Bueno, estamos en Barcelona. En el resto de España, pues, se come más tarde todavía, hasta las cuatro.

Jordi   ¿A qué hora se cena?

Francisco   Bueno, en Barcelona normalmente se cena entre las nueve y las once de la noche, pero hay algunas regiones donde se cena pero mucho más tarde, incluso hasta las doce o . . . o la una.

Jordi   La cena, señor Francisco, ¿es más ligera que la comida?

Francisco   La cena normalmente es un poco más ligera que la comida.

Jordi   ¿Se bebe en las comidas?

Francisco   En las comidas normalmente casi siempre se bebe vino.

Jordi   ¿El vino blanco o tinto?

Francisco   Generalmente se bebe vino tinto. Eh, depende del gusto del cliente y del plato.

2 Eduardo and Nuria talk about Sundays in Spain. Nuria works with a theatre company so it's not surprising that she's interested in how people spend their spare time.

a) Where do people go on Sundays?
b) Do people drink much according to Nuria?
c) What do engaged couples, *los novios*, do on Sundays?
d) When is professional football played?

Eduardo	¿Qué se hace en España los domingos?
Nuria	Los domingos en España, eh, se pasea, se toma el vermut al mediodía, se come en un restaurán, se va al baile, se va al cine, los aficionados al deporte van al fútbol, se visita a los amigos . . .
Eduardo	Eh, ¿se va a misa?
Nuria	Los creyentes, sí.
Eduardo	¿Se trabaja los domingos?
Nuria	No, los domingos no se trabaja, es el día de descanso, y entonces se sale, se bebe mucho, se reúne con los amigos . . .
Eduardo	¿Se ve al novio o a la novia?
Nuria	Sí, es el día en que los novios pueden verse, salir juntos, ir al cine, hablar.
Eduardo	¿Se va al baile también?
Nuria	Sí, la gente joven va mucho al baile.
Eduardo	¿Se juega a deportes profesionales los domingos?
Nuria	Sí, normalmente las tardes de los domingos suele haber partidos de fútbol que están muy concurridos, y quien no puede ir al estadio, pues, los sigue por televisión o por radio.
Eduardo	¿Se ve mucho la televisión los domingos?
Nuria	Sí, se ve mucho la televisión, como en todas partes.
Eduardo	Muchas gracias.
Nuria	De nada.

3 Pilar asked a bank clerk about his bank's opening hours. Does it close earlier in summer or in winter?

Pilar	Por favor, señor, ¿a qué hora se abre el banco?
El empleado	Se abre a las nueve de la mañana.
Pilar	¿Y a qué hora se cierra?
El empleado	Se cierra a las dos de la tarde, excepto sábados de quince de junio a quince de septiembre que se cierra a la una de mediodía.
Pilar	¿Y en invierno?
El empleado	En invierno se cierra a las dos de la tarde, sábados incluidos.
Pilar	¿Y el domingo?
El empleado	El domingo no se abre nunca.
Pilar	¿Esto es para todos los bancos de España?
El empleado	Para todos los bancos exactamente igual.
Pilar	¿Todos tienen el mismo horario?
El empleado	Todos los bancos tienen el mismo horario.
Pilar	Muchas gracias.
El empleado	A usted.

más tarde todavía	later still
pero mucho más tarde	even later
depende del gusto del cliente y del plato	it depends on the customer's tastes and on the dish
quien no puede ir	anyone who can't go
suele haber	there are usually
en todas partes	everywhere
que se cierra	when it closes
¿esto es para . . .?	does this apply to . . .?

A propósito

Días laborables . . . y festivos It's not only shopkeepers and bank employees who work on Saturday in Spain – most people work at least part of the day. But one of the advantages of living in a Catholic country is that there are so many religious feast-days to celebrate, and what better way of celebrating than by *not* working. As well as the religious or 'patriotic' holidays celebrated nationally, there are also local festivities. Each town or village celebrates the day of its Patron Saint or Virgin, and on these days all shops and offices will be shut. The dates of national holidays are given at the end of this section, but it's worth writing to the Spanish Tourist Office for their booklet 'Festivals of Interest to Tourists', which gives festival dates and descriptions of the celebrations, or for the 'Tourist Calendar' of the region you intend to visit. Knowing the dates will avoid problems of finding shops or money exchange facilities shut, and, with a little preparation and a good map, you can spend your holiday travelling from one *fiesta* to the next – and tasting good wine at all of them!

El Día de los Inocentes This is equivalent to April Fool's Day but is celebrated in Spain on 28th December. 1st April was the date when the Spanish Civil War ended (in 1939) and from then onwards, while Franco was in power, it was celebrated in Spain as *el Día de la Victoria*, or rather as *his* Victory Day. *El Día de los Inocentes* is a day for playing tricks on people, and if you trick someone into lending you money on that day you keep it and tell them *que te lo paguen los Santos Inocentes* (let the Holy Innocents pay you back).

La onomástica or **el día del santo** In the Roman Catholic calendar, every day of the year is dedicated to one or more saints. Spaniards are usually christened with a saint's name and as well as celebrating birthdays they celebrate their saint's day. So everyone called José will celebrate on *el día de San José*.

Las pagas extras All working people receive two extra pay packets a year in Spain – one at Christmas and the other around 18th July, commemorating the beginning of the Spanish Civil War. This extra pay used to consist of half a month's salary but now it's common for it to be a whole month's salary.

Los puentes When a public holiday falls on a Tuesday or a Friday, especially in summer, Spaniards *hacen un puente* (make a bridge) and take three consecutive days' holiday (in Spain most people work on Saturdays). To make up for lost working time, they often work an extra half-hour or hour for several days.

Public holidays

1 de enero	Día de Año Nuevo
6 de enero	Epifanía, *or* Día de los Reyes
19 de marzo	Día de San José
variable	Jueves Santo (Maundy Thursday)
variable	Viernes Santo (Good Friday)
1 de mayo	San José Obrero
25 de mayo	Corpus Christi
24 de junio	Onomástica del Rey
25 de julio	Día de Santiago Apóstol
15 de agosto	Día de la Asunción
12 de octubre	Día de la Hispanidad
1 de noviembre	Día de Todos los Santos
8 de diciembre	Día de la Purísima Concepción
25 de diciembre	Día de Navidad
19 de marzo	Día del padre (Father's Day)
first Sunday in May	Día de la madre (Mother's Day)

Resumen

You already know how to ask whether something can be done:

¿se puede | comer aquí?
comprar sellos en el estanco?

1 To find out *what* people in general do you can ask:

¿qué se bebe en Cuenca?
¿qué se come aquí?

or more generally:

¿qué se hace | los domingos?
los días festivos?

Possible replies:

se va al cine   se sale a un bar   se suele ir al fútbol
se visita a los amigos   se ve la televisión   *(see end of Resumen)*

2 To find out *when* people do things:

¿a qué hora | se come en España?
¿cuándo | se toma un aperitivo?

or when shops etc., open and close:

¿a qué hora | se abre el banco?
¿cuándo | se cierra el supermercado?

Note: The meaning here is not 'when do people open the bank?/close the supermarket?' but 'when does the bank open?/the supermarket close?' (see *Resumen* p. 166 for a further explanation).

3 When

a) at se abre **a** las nueve
se cierra **a** las cinco y media

b) from . . . until **desde** las nueve **hasta** las cinco
de nueve **a** cinco

c) between . . . and **entre** la una **y** las dos

d) before **antes de** | las diez
after **después de** | comer

4 How often

a) always siempre normally normalmente
a lot mucho sometimes a veces
usually generalmente never nunca

b) on certain days los domingos se pasea
los martes |
los jueves | se trabaja

Note: People often use the singular and say

el domingo *instead of* los domingos
el jueves los jueves

c) every **todos** | los días
los sábados

todas las tardes

d) only **sólo** | los lunes
solamente | los días festivos

e) including los sábados **incluidos**

f) except **excepto** los domingos*

● **se**

When you use *se* to refer to people in general, the accompanying verb ends in *–a* or *–e*:

from habl**ar** *you get* se habl**a**
lleg**ar** se lleg**a**
com**er** se com**e**
beb**er** se beb**e**
sal**ir** se sal**e**
abr**ir** se abr**e**

*Note: A full list of days of the week (los días de la semana), months (los meses) and seasons (las estaciones) is given on p. 223.

●● suele

This comes from the verb *soler* (to be in the habit of) and you can use it when talking about what usually happens.

suele haber partidos de fútbol (there are usually football matches)
se suele comer a las dos (people usually have lunch at two)
suelo salir por la tarde (I usually go out in the afternoon)

Prácticas

1 You are naturally inquisitive and with the aid of a helpful friend, Marta, you find out about local eating and drinking habits.

Usted	*(Ask her what people drink in the morning)*
Marta	Pues, por la mañana se bebe una copa de coñac.
Usted	*(What do they normally drink before lunch?)*
Marta	Normalmente, pues, a media mañana se toma un aperitivo antes de comer.
Usted	*(And what aperitif do people drink?)*
Marta	Se toma un aperitivo de cerveza.
Usted	*(Ask when people normally have lunch)*
Marta	Normalmente se come entre la una y las tres.
Usted	*(Ask her if people drink anything after lunch)*
Marta	Sí, después de comer se toma café y una copa de coñac.
Usted	*(Lastly, ask her at what time they have dinner)*
Marta	Pues, se cena entre las nueve y las once de la noche.

2 Here are a number of statements about Great Britain and Spain. Are they true or false?

	Sí	No
1 En España se suele comer más tarde que en Inglaterra.		
2 Madrid tiene más habitantes que Londres.		
3 En España se ve mucho la televisión.		
4 En Inglaterra se bebe mucho té.		
5 En España se puede comprar cerillas en cualquier estanco.		
6 Normalmente los británicos beben vino en las comidas.		
7 Edimburgo está situado en Escocia.		
8 En Inglaterra se va al 'pub' a las cuatro de la tarde.		

3 Complete the sentences below using one of these question words:

cuándo
cuántos
qué
dónde
cómo
quién

Then pair up each question with an appropriate answer.

Preguntas	Respuestas
1 ¿.................. se llega a la plaza de toros?	a) Dentro de unos cinco minutos.
2 ¿.................. se puede comer una paella barata?	b) Tiene que coger el Metro.
3 ¿.................. se puede comprar en el Rastro?	c) Hay varios restaurantes económicos en la calle Echegaray.
4 ¿.................. se abre el banco?	d) Es mi novio, Felipe.
5 ¿.................. es éste, en la foto?	e) Hay de todo – cosas antiguas, cosas modernas, pero todo barato.
6 ¿.................. habitantes tiene Madrid?	f) Unos dos millones y medio más o menos.

4 You're in the centre of Birmingham when a man approaches you.

El hombre	Por favor, ¿habla usted español?
Usted	*(Here's a chance to practise. Say 'yes a bit')*
El hombre	Muy bien. ¿Hay un banco por aquí?
Usted	*(Yes, there's one over there, but point out that it doesn't open on Sundays)*
El hombre	¡Vaya! Entonces, ¿dónde se puede cambiar dinero?
Usted	*(You don't know. At the station? say: en . . .)*
El hombre	¿Y cómo se llega a la estación?
Usted	*(Tell him to take the first on the left and go straight on as far as the Bullring)*
El hombre	¿La plaza de toros?
Usted	*(No, it's not a bullring, it's a shopping centre)*
El hombre	¿Un centro comercial con toros?
Usted	*(No, there aren't any bulls there, only shops)*
El hombre	Y la estación, ¿está cerca de este Bullring?
Usted	*(Say yes, it's a couple of minutes away)*
El hombre	Muchas gracias. Adiós.
Usted	*(Don't mention it. Goodbye)*
	(He goes off muttering 'Plaza de toros con tiendas . . .')

5 El domingo español

Read this short description of how Spaniards spend their Sundays and then answer the questions in English. The questions should give you a clue to some of the new words, but if you're really stuck, use the Glossary.

El domingo es el día para divertirse en España. Es el día para pasear por la mañana y por la tarde ir al fútbol o a los toros, al cine o a bailar.

Por la mañana la gente se levanta tarde y muchos van a misa. Las misas más populares son las de las once y doce, porque después de la misa los amigos se van de paseo o se van a visitar bares. Éste es un pasatiempo muy popular en España. Con el vino tan barato en España, nadie se puede sorprender que muchos españoles se pasen la mañana del domingo de bar en bar bebiendo y tomando tapas. Como en España se come tarde, nadie tiene prisa para llegar a casa, sólo los aficionados al fútbol.

Después de almorzar, muchos se van a la cama a dormir la siesta, sobre todo en verano, cuando hace tanto calor que no se puede estar en la calle antes de las seis.

Durante el invierno se va mucho al cine en España, incluso por la mañana también, porque ahora hay algunos cines donde se pueden ver películas desde las once de la mañana.

Como el clima suele ser bueno, se pasa mucho tiempo en la calle tanto los domingos como los días laborables, y todas las ciudades y pueblos de España tienen uno o varios paseos donde todos pasan mucho tiempo paseando de un lado a otro.

1 What do friends do after going to mass at 11 or 12 o'clock?
2 Why are some people in a hurry to get home for lunch on Sundays?
3 How do a lot of people spend the summer afternoons?
4 What's the earliest time you can go to the cinema?
5 Why do people spend so much time strolling about?

Cuenca: Domingo por la tarde

Likes and dislikes

La señora Milagros Lázaro

¿le gusta ....**?** **do you like** ....**?**

me gusta .... **I like** ....

Radio

1 Milagros is a widow. She makes a bit of extra money by doing a housekeeping job. Pilar asked her what she liked and disliked most about housework and about her tastes in food. Does she like cooking?

Pilar	Señora Milagros . . .
Milagros	Dígame.
Pilar	¿Usted es ama de casa?
Milagros	Sí.
Pilar	¿Qué labores de la casa le gustan más y cuáles le gustan menos?
Milagros	Bueno, las que menos me gustan es guisar y pasar la aspiradora.
Pilar	¿Guisar?
Milagros	Guisar.
Pilar	¿Es decir?
Milagros	Cocinar.
Pilar	¿Hacer la comida?
Milagros	Hacer la comida.
Pilar	¿No le gusta para nada?
Milagros	Muy poco. Lo hago por necesidad, pero no porque me gusta.
Pilar	¿Y pasar la aspiradora tampoco?
Milagros	Tampoco, porque hace mucho ruido.
Pilar	¿Cuáles son entonces las faenas que más le gustan?
Milagros	Las demás de la casa, todas. Me gusta, por ejemplo, hacer las camas, lavar, planchar, barrer, fregar el suelo.
Pilar	Y fregar los platos, ¿le gusta?

139

Milagros	También me gusta.
Pilar	¿Tiene lavaplatos?
Milagros	No, no, lo hago a mano, me gusta más.
Pilar	Usted dice que no le gusta cocinar, pero ¿le gusta comer?
Milagros	Sí, claro.
Pilar	¿Qué tipo de comida prefiere?
Milagros	Por ejemplo, me gusta mucho el gazpacho que se hace por Cuenca.
Pilar	Es decir, ¿gazpacho manchego? ¿Usted puede comer eso?
Milagros	No, ahora no puedo comer porque tengo régimen.
Pilar	¿Le gustan los mariscos?
Milagros	Sí, los mariscos sí me gustan.
Pilar	¿Puede comerlos?
Milagros	No, no puedo comer, pero algunas veces como.
Pilar	¿Siempre a causa del régimen?
Milagros	Claro, siempre a causa del régimen, pero . . . a veces como, poquito pero suelo comer.
Pilar	¿Le gusta seguir el régimen?
Milagros	No, no me gusta, pero lo tengo que seguir.
Pilar	¿Tiene fuerza de voluntad para seguirlo?
Milagros	Poca, pero tengo.
Pilar	Bien, muchas gracias.
Milagros	De nada.

2 Ramón Rodríguez Burgos works at the town hall but his main interest is
music and he talked to Pilar about his musical tastes.

a) What sort of music does he like best?
b) Does he like pop music?
c) What sort of instrument does he play?
d) Why does he like folk music so much?

Ramón Rodríguez Burgos tocando su violín

Pilar	Hacemos una encuesta sobre los españoles y sus gustos. Hablamos con el señor . . . ¿cómo se llama usted?
Ramón	Ramón Rodríguez Burgos.
Pilar	Dígame, ¿a usted le gusta la música?
Ramón	Me encanta la música.
Pilar	¿Qué tipo de música prefiere?
Ramón	Me gusta toda la buena música. Dentro de eso uno tiene sus preferencias.
Pilar	¿Por ejemplo?
Ramón	Por ejemplo, para mí el barroco.
Pilar	Es decir, ¿la música que más le gusta es la música barroca?
Ramón	Una de las que más me gusta.
Pilar	Y la música pop, ¿le gusta?
Ramón	La música pop me gusta cuando es buena, pero no toda la música pop es buena.
Pilar	¿Usted toca?
Ramón	Sí, yo soy violinista.
Pilar	¿Toca el violín?
Ramón	Toco el violín. Doy conciertos de violín.
Pilar	¿Qué tipo de música toca al violín?
Ramón	Fundamentalmente, la música barroca: Bach, Handel, Albinoni, Tartini, Vivaldi . . .
Pilar	Ramón, usted que es músico de profesión, dígame, ¿le gusta la música folklórica española?
Ramón	Naturalmente, me gusta mucho. Me encanta la música folklórica, y no solamente la música folklórica española. Me gusta toda la música folklórica del mundo, porque la música folklórica lleva siempre un mensaje, el mensaje del pueblo, el mensaje de lo popular, de lo sincero, de lo espontáneo.

pasar la aspiradora	vacuum-cleaning
¿no le gusta para nada?	you don't like it in the slightest?
fregar el suelo	scrubbing the floor
fregar los platos	washing-up
lo hago a mano	I do it by hand
tengo régimen	I'm on a diet
a causa del régimen	because of the diet
pero lo tengo que seguir	but I have to keep to it
fuerza de voluntad	will-power
hacemos una encuesta sobre . . .	we are doing a survey on . . .
me encanta . . .	I love . . .
dentro de eso	having said that

A propósito

Música folklórica regional Foreigners are inclined to think of *flamenco* as Spain's national music although, as part of the folklore of Andalusia, it is just one example of Spain's rich variety of regional dances, songs and music. Two very well-known dances are found a long way from Andalusia, in the north-eastern part of Spain. *La jota* comes from the region of Aragon. It's a fast, lively dance and the music which accompanies it is popular all over Spain. *La sardana* is the dance of Catalonia. People of all ages join hands in a circle and dance the intricate and well-rehearsed steps to the accompaniment of a band called *la cobla*. In *la Plaza de la Catedral* in Barcelona, you'll see businessmen, factory-workers and children all joining in the dance.

Sus labores If you look at *el carnet de identidad* (identity card) of many women under 'profession' you will read the letters *S.L.* These stand for *sus labores*, which roughly means 'their alloted tasks'. This is in the spirit of the 'Fundamental Laws of the Country' enacted after the Civil War which promised to 'rescue' women from their working places and take them back to the home. Since then progress has been made, albeit slowly. In 1961 a law was passed giving women equal treatment with men and theoretically allowing them to do almost any job they liked. However, it was not until 1975 that women could be employed without the permission of their husband or, if single, of their father.

Resumen

1 Likes and dislikes

To ask if someone likes something:

¿le gusta | el fútbol?
| la música pop?

or, if it's more than one thing:

¿le gustan | los mariscos?
| las labores de la casa?

and to ask if he or she likes doing something:

¿le gusta | hacer las camas?
| ir al fútbol?

To say what you like:

| **me gusta** | la música |
| | el gazpacho |

| **me gustan** | los mariscos |
| | las labores de la casa |

or like doing:

me gusta	barrer
	planchar
	fregar los platos

You can use *gustar* to express fine shades of meaning:

If you really like something a lot	me gusta mucho
	me gusta muchísimo
If you quite like something	me gusta bastante
If you're not too keen	no me gusta mucho
If you don't like it	no me gusta
or if you can't stand it	no me gusta (para) nada
And if you really love something	me encanta

2 Preferences

Saying what you prefer:

| me gusta la televisión pero | **me gusta más** | el cine |
| | **prefiero** | |

| me gusta cocinar pero | **me gusta más** | comer |
| | **prefiero** | |

Prefiero el cine **a** la televisión

Asking somebody what they like most

| ¿qué | **le gusta más?** |
| | **prefiere?** |

Saying what you like most or least:

| el . . . | que **más** me gusta |
| la . . . | que me gusta **más** |

| el . . . | que **menos** me gusta |
| la . . . | que me gusta **menos** |

To make comparisons use **más . . . que**:

me gusta **más** la música pop **que** la música clásica
Londres tiene **más** habitantes **que** Madrid

3 También . . ., tampoco

También (also, as well) and *tampoco* (neither) can be used very simply to correspond to sentences like 'so do I', 'so have I', 'so does Juan', 'neither do I', etc.

soy inglés	yo **también**
quiero alquilar un coche	yo **también**
no tengo coche	yo **tampoco**
me gusta Mallorca	a mí **también**
no me gusta cocinar	a mí **tampoco**

- **a mí** and **a usted**

  You use *a mí* and *a usted* to emphasise *who* it is you're referring to

  ¿**a usted** le gusta . . .?
  a mí me gusta cocinar

●● **–mente**

Words ending in *–mente* are generally equivalent to English words ending in *–ly* (adverbs). The *–mente* ending is added to the feminine form of adjectives:

solo,–a	**solamente**
exacto,–a	**exactamente**
normal	**normalmente**

Prácticas

	🎾	⚽	🏊	⛷
Pedro Robles	✓✓✓	✗✗	✓✓	✗✗✗
Juana Martínez	✗✗✗	✓✓✓	✓	✓✓
Juan Tenorio	✗	✓✓	✓✓✓	✓

✓	bastante	✗	poco/no mucho
✓✓	mucho	✗✗	muy poco
✓✓✓	muchísimo	✗✗✗	nada

1 This chart shows the result of a survey done by a firm of sports goods suppliers, to find out about people's sporting interests. How did each of the three interviewees answer these questions?

1 ¿Le gusta a usted jugar al fútbol?
2 ¿Prefiere el tenis a la natación?
3 ¿Qué deporte le gusta más?
4 ¿Le gusta esquiar?

e.g. Pedro Robles: 1 No, me gusta muy poco.

2 Fernando is a sports lover whose main passion is football, though in summer he spends a lot of time at the beach, swimming and playing tennis. Catalina loathes sport of any kind. She likes going out to restaurants, cinemas, theatres and discothèques. Sr Gordo's favourite pastimes are cooking and eating, though he also enjoys reading and listening to classical music.

144

The three of them meet in a café and get talking about what they like to do in their free time. Fill in the rest of their conversation.

Catalina	*(to Fernando)* ¿Qué le gusta a usted hacer en su tiempo libre?
Fernando	A mí me gusta practicar los deportes.
Catalina	¿Qué deporte le gusta más?
Fernando	*(What would his reply be?)*
Catalina	¿Prefiere siempre el fútbol?
Fernando	No, en verano me gusta más la playa.
Catalina	*(He likes the beach?)*
Fernando	Sí, porque se puede jugar al tenis y nadar.
	(He asks if she likes to play tennis)
Catalina	*(What would her reply be?)*
Sr Gordo	A mí tampoco me gusta.
Fernando	*(He asks el Sr Gordo what he likes doing)*
Sr Gordo	*(What would his reply be?)*
	¡Soy un buen cocinero!
Catalina	*(She says she likes eating too but prefers to go to a restaurant and afterwards to the cinema or to the theatre)*
Sr Gordo	Yo prefiero estar en casa. Me gusta leer y escuchar música.
Fernando	*(He asks el Sr Gordo what sort of music he likes)*
Sr Gordo	*(What would his reply be?)*
Fernando	*(He says he prefers pop music)*
Catalina	Yo también.
Sr Gordo	¿La música pop? Pero ¡no es más que un ruido!
	(At this point the waiter arrives and asks what they would like to drink)
Fernando	*(He wants a beer)*
Catalina	*(A beer for her too)*
Sr Gordo	Y otra para mí. ¡Por fin estamos de acuerdo en algo!

3 El tiempo libre

A Spanish magazine recently carried out a survey of Spanish leisure activities. Here is an extract from the article. Read it through and try to answer the questions.

Los españoles descansan poco, porque duermen poco. Un 5 por ciento duerme menos de seis horas, un 13 por ciento menos de siete y un 29 por ciento hasta ocho horas. Lo que significa que el 47 por ciento, casi la mitad, de los españoles duerme normalmente menos de ocho horas. Sólo el 25 por ciento duerme más de nueve horas.

El deporte es muy popular en España, pero desafortunadamente el español prefiere mirar a practicar los deportes, aunque hoy día muchos empiezan a practicar deportes de moda, como por ejemplo el tenis.

A pesar de la propaganda turística, a los españoles no les atrae tanto la idea de ir a los toros. Tampoco les gusta mucho el bailar, sólo un 4,5 por ciento baila diariamente.

La lectura no atrae mucho a los españoles, sólo un 4,7 por ciento de los españoles lee libros en días laborables, y los fines de semana leen menos, 4,5 los sábados y sólo el 3,5 los domingos. Una de cada cuatro personas no lee nunca el periódico.

1 Does the study bear out the popular idea that Spaniards sleep a great deal?
2 What percentage of Spaniards have between six and seven hours' sleep?
3 And what percentage sleep more than nine hours?
4 Do most Spaniards prefer to watch sports or to play them?
5 What percentage of Spaniards dance daily?
6 When do Spaniards read more, on working days or at weekends?
7 What does one Spaniard in four never do?

4 Here is a list of 'least favourite activities'. They are all household chores. Can you unscramble the letters and find out what they are?

1 GARFER SOL SALPOT
2 PALIMIR ALS TABIHONIACES
3 SARAP AL SIDARAPOAR
4 RECHA SLA CASMA
5 CHARPLAN OLS LONTPAASEN
6 RERRAB AL SACA
7 PARERPRA ALS DICOMAS
8 VARAL AL PORA

Getting acquainted

Villalba de la Sierra

---

me llamo . . .   **my name is** . . .
trabajo en . . .   **I work in** . . .

Radio

1 María is a hotel telephonist in Cuenca. She works long hours, weekends as well. She isn't married and lives at home. What does she do when she isn't working?

Pilar	Buenas tardes, señorita. ¿Cómo se llama usted?
María	Me llamo María Isabel Carro García.
Pilar	¿Qué trabajo tiene?
María	Soy telefonista.
Pilar	Aquí en Cuenca, ¿no?
María	Sí, sí, soy de Cuenca.
Pilar	¿Trabaja en la Telefónica?
María	No, no trabajo en la Telefónica. Trabajo en un hotel.
Pilar	¿Cuáles son sus horas de trabajo?
María	Mis horas de trabajo . . . unas son por la mañana y otras son por la tarde. Cuando yo trabajo por la mañana, comienzo a las ocho y media hasta las cuatro de la tarde, y cuando trabajo por la tarde comienzo a las cuatro de la tarde hasta las once y media de la noche.
Pilar	Es un día largo, ¿no?
María	Pues, un poquito pesado, sí.
Pilar	¿Trabaja usted el sábado?
María	Sí.
Pilar	¿Y el domingo?
María	También.
Pilar	¿Cuántas horas por semana son en total?
María	Cincuenta y tres horas.

Pilar	Entonces, ¿usted trabaja todos los días?
María	Menos un día que tengo libre a la semana.
Pilar	¿Qué día?
María	El viernes.
Pilar	¿Qué hace el viernes?
María	Ayudo a mi madre, salgo a pasear, . . . y nada más.
Pilar	Cuando trabaja por la mañana, ¿usted come en el hotel o en casa?
María	Pues, como aquí en el hotel.
Pilar	¿Y cuando trabaja por la tarde . . .?
María	También, ceno aquí.
Pilar	¿Cena en el hotel?
María	Sí.
Pilar	¿Pero come en casa?
María	Sí, como en casa y ceno en el hotel.
Pilar	¿Es usted soltera?
María	Sí.
Pilar	Entonces, ¿vive con sus padres?
María	Sí, vivo con mis padres.
Pilar	¿Es una vida interesante o dura?
María	Para mí, desde luego, interesante.
Pilar	¿Pero también dura, tal vez?
María	Un poco pesada, más bien.
Pilar	¿Pesada?
María	Sí.

2 Fernando Hernáez works in the Savings Bank *(la Caja de Ahorros)* in Cuenca. Eduardo asked him about his work and his leisure interests.
a) What hours does he work?
b) How many days of public holiday does he have?
c) What are his favourite leisure pursuits when he goes to Villalba de la Sierra?
d) Does he prefer the beach or the mountains?

Eduardo	Buenos días.
Sr Hernáez	Buenos días.
Eduardo	¿Cómo se llama usted?
Sr Hernáez	Yo me llamo Fernando Hernáez Sáez.
Eduardo	Señor Hernáez, ¿cuál es su trabajo?

Sr Hernáez	Yo soy funcionario de la Caja Provincial de Ahorros de Cuenca.
Eduardo	¿Cuál es su horario?
Sr Hernáez	Yo trabajo desde las ocho de la mañana hasta las dos y media.
Eduardo	¿Trabaja usted los domingos?
Sr Hernáez	No.
Eduardo	¿Qué vacaciones tiene usted?
Sr Hernáez	Yo tengo veintiséis días laborables de vacaciones. En total son treinta, treinta y un días, según las fiestas.
Eduardo	¿Dónde va usted de vacaciones?
Sr Hernáez	Yo no salgo de Cuenca. Voy a un pueblo que hay muy cercano a veintidós kilómetros, Villalba de la Sierra.
Eduardo	¿Qué hace usted en Villalba de la Sierra? ¿Cuáles son sus ocupaciones predilectas durante las vacaciones?
Sr Hernáez	Paseo y hago fotografías.
Eduardo	Señor Hernáez, ¿está usted casado?
Sr Hernáez	Sí.
Eduardo	¿Tiene usted hijos?
Sr Hernáez	Yo tengo tres hijas.
Eduardo	¿Tres hijas? ¿Va usted de vacaciones fuera de Cuenca alguna vez?
Sr Hernáez	Sí, alguna vez.
Eduardo	¿Les gusta la playa?
Sr Hernáez	Menos que la montaña.

salgo a pasear	I go out for walks
en casa	at home
tal vez	perhaps
más bien	rather
días laborables	working days
alguna vez	sometimes

A propósito

Las vacaciones British children would be delighted to have the same number of holidays as Spanish children, though their parents might be less happy. The school year in Spain consists of only 220 days. Taking Sundays into account, this means the equivalent of nearly five months free of lessons. The summer holidays alone last from 1st July to 14th September.

Working people usually get a full month's holiday which they take all at once. *CERRADO POR VACACIONES* is a common sign on shop doors during the month of August (except in the coastal resorts). Spaniards' holiday habits have changed significantly over the last 15 years. In 1960 only a quarter of the population went away on holiday. Now half the country takes a proper holiday and, like foreign visitors, the majority of them (70%) prefer the Mediterranean coast.

Los salarios Spaniards normally talk about what they earn as so many pesetas a month, not as a weekly or yearly amount. The average salary at the time of writing (1978) is 28,340 pesetas a month, but wage differentials are very high so this doesn't give a realistic average. Income tax is at present very low – a mere 13%. Mind you, most people claim they get very little for it!

El desempleo This is the official word for 'unemployment', though people usually call it *el paro*. Unemployment is just as much a problem in Spain as elsewhere, the worst areas being Andalusia and the Canary Islands. However, the system of unemployment benefit is quite different from this country's. If you are made redundant, if you're away from work because of illness, or if you're sacked and it's not your fault, you are paid 75% of your salary for the first six months, with the possibility of this being extended to 12 or 18 months. (The extensions are usually conditional on your joining a Government re-training scheme.) The State provides no supplementary benefit, so if you're still unemployed after 18 months, if you've given up your job voluntarily, or if your dismissal was proved to be your own fault, you get no money at all. In fact, only about 30% of the unemployed receive any benefit.

Resumen

1 Getting acquainted

a) Your name

¿cómo se llama (usted)?	**me llamo**	Juana Rodríguez Jim Smith

b) Where you're from

¿de dónde es (usted)?	**soy de**	Inglaterra/Irlanda/ Escocia/Gales Edimburgo/East Grinstead

c) Your nationality

	soy	inglés/inglesa irlandés/irlandesa escocés/escocesa galés/galesa español/española

d) Your marital status

¿está usted casado, –a?	single	**soy**	soltero, –a
	married	**estoy**	casado, –a
	divorced	**estoy**	divorciado, –a

e) Your family

¿tiene hijos?	**tengo**	dos tres cinco	hijos

2 Work

a) What you do for a living

¿qué trabajo tiene?		dentista
or	**soy**	ingeniero
¿cuál es su trabajo?		ama de casa

b) Where you work

¿dónde trabaja? **trabajo** | en un banco
en un hotel

c) What hours you work

¿cuáles son sus horas de trabajo? **trabajo** desde las ocho hasta las dos y media

or when you start and finish: **comienzo** a las dos y **termino** a las diez

3 Leisure

¿qué | vacaciones
días libres | tiene? **tengo** | 26 días de vacaciones
un día libre a la semana

¿qué hace durante las vacaciones? **salgo** a pasear
hago fotografías
ayudo a mi madre
voy a la playa

● The –*o* ending on the verb makes it clear that you are talking about yourself. There have been plenty of examples in previous chapters.

hag**o**   trabaj**o**   ayud**o**
salg**o**   comienz**o**   pase**o**
teng**o**   viv**o**   com**o**

With the verbs *ser, estar, ir, dar,* the ending is –*oy*:

soy   estoy   voy   doy

The idea of 'I' is contained in the ending of the verb, so you don't have to use *yo* except for emphasis

●● **su/sus** (your)   **mi/mis** (my)

¿ayuda a **su** madre?   sí, ayudo a **mi** madre

¿vive con **sus** padres?   sí, vivo con **mis** padres

Notice that you add –*s* if you are referring to more than one person or thing.

●●● Personal **a**

se ve **al** novio o **a** la novia
se visita **a** los amigos
ayudo **a** mi madre

If you're talking about what's being done to a person, even if they're only being looked at, visited or helped, you must put *a* before the person (i.e. between the verb and its object).

Prácticas

1 You're driving along the coast road to Gijón in northern Spain when, round one of the many bends, you see a girl hitch-hiking. You stop and offer her a lift.

Usted	*(You ask her if she's Spanish)*
La chica	Sí, de Torrevieja.
Usted	*(Ask where that is)*
La chica	Está en el sudeste, en Alicante.
Usted	*(Ask if she's on holiday)*
La chica	Sí, estoy de vacaciones. Tengo familia aquí en Asturias. ¿Usted de dónde es?
Usted	*(Say you're Scottish, you're on holiday as well)*
La chica	¿Usted viaja solo?
Usted	*(Yes, you're travelling on your own, it's more interesting)*
La chica	¿Qué le parece España? ¿Le gusta?
Usted	*(Yes, a lot, but you don't like this road very much)*
La chica	No. Hay muchas curvas. ¡Ay! ¡Cuidado!
	A lorry comes round the corner on the wrong side of the road

2 *¿Qué país?* Which country does each sentence refer to?

a) Está situado en el norte de las Islas Británicas y produce un licor famoso en todo el mundo.

b) Está en Gran Bretaña, y el deporte nacional es el rugby.

c) Si usted coge la N-V en Madrid y va hacia el oeste, usted llega finalmente a este país.

d) Un 4% de los habitantes de este país baila todos los días.

3 An air hostess, a policeman, a shepherd and a lorry driver were asked the same three questions about their work. Look at the answers that they gave to each question and decide who gave which answer. The questions were as follows:

    1 ¿Qué hace en su trabajo?
    2 ¿Dónde trabaja?
    3 ¿Le gusta su trabajo?

Answers to question 1

a) Conduzco un camión de 30 toneladas, con una carga de pescado.
b) Cuido de un rebaño de ciento cincuenta ovejas. Tengo dos perros para ayudarme.
c) Controlo la circulación en las carreteras nacionales, y me ocupo de las infracciones de tráfico.
d) Atiendo a los pasajeros en los vuelos internacionales.

Answers to question 2

e) En un avión de Iberia. Normalmente hago el trayecto Madrid–Buenos Aires.
f) Por la carretera N-IV, el tramo Sevilla–Córdoba.
g) Trabajo en el campo cerca del pueblo de Fuentes, en la provincia de Cuenca.
h) Hago el recorrido La Coruña–Madrid con pescado y mariscos.

Answers to question 3

i) Mucho. El camión es mío, trabajo por mi cuenta, no tengo jefe que me dé órdenes.
j) Bastante. Me gusta viajar y ver países nuevos y gente nueva, pero no me gusta trabajar los fines de semana.
k) Sí, me gusta la disciplina y estar al aire libre. Me gusta también tratar con la gente.
l) Nada. Tengo horas demasiado largas. Es un trabajo muy mal pagado y detesto los animales.

4 Look at the replies given by the people in number 3 and answer the following questions.

1 How many sheep does the shepherd have in his flock?
2 What doesn't the air hostess like about her work?
3 What does the lorry driver transport from La Coruña to Madrid?
4 Why does the lorry driver like working for himself?
5 Who likes being in the open air?
6 Why doesn't the shepherd like his job?

5 And now an easy one. You're talking to a Spanish man. How would you ask him:

a) what his name is;
b) where he's from;
c) whether he's married or not;
d) whether he's got any children;
e) what his job is;
f) where he works;
g) whether he likes his job or not;
h) what hours he works;
i) what holidays he has;
j) and what he does during his holidays.

If you have a dictionary, look up the words to describe your work and leisure interests, so that you'll be able to answer if someone asks you these questions.

Talking about others

Familia numerosa . . . de primera categoría

¿qué hace su hijo?	**what does your son do?**
¿qué hacen sus hijos?	**what do your children do?**

Radio

1 Conchita works in a nursery school, *una guardería*, in a suburb of Barcelona which is populated chiefly by people from other regions of Spain. Eduardo asked Conchita about her work and about the suburb. Is Conchita herself from this region (Catalonia)?

Eduardo	¿Cuál es su profesión?
Conchita	Educadora de guardería.
Eduardo	¿En una guardería aquí en el barrio?
Conchita	Sí, en esta zona.
Eduardo	¿Hay muchas guarderías en este barrio?
Conchita	En este barrio concretamente hay cuatro guarderías.
Eduardo	Sí. Si hay guarderías, ¿quiere decir esto que trabajan las mujeres en este barrio?
Conchita	Sí. Muchas mujeres trabajan fuera de sus casas.
Eduardo	¿Qué trabajos hacen las mujeres?
Conchita	En esta zona principalmente trabajos domésticos.
Eduardo	¿De dónde vienen los habitantes de este barrio?
Conchita	En su gran mayoría, son andaluces, gallegos . . . aragoneses también hay una buena parte, y castellanos, quizás los menos.
Eduardo	¿Usted de dónde es?
Conchita	De Torrevieja, Alicante.

2 Visi is in her early forties and to look at her you'd never guess she had
13 children. Pilar asked her about her large family.

a) How many sons does she have and how many daughters?
b) Which child does she almost name twice in her list?
c) How many of the children live at home?
d) What kind of character does Visi's husband have?
e) Would Visi mind having more children?

Pilar	Señora Visi, ustedes son una familia numerosa. ¿Cuántos hijos tienen?
Visi	Trece.
Pilar	¡Trece!
Visi	Sí.
Pilar	¿Qué edad tienen? Es decir, ¿qué edad tiene el mayor y qué edad tiene el pequeño?
Visi	Pues, veinticuatro años el mayor, y tres años y medio el pequeño.
Pilar	¿Piensa tener más?
Visi	Si Dios quiere.
Pilar	¿Cuántos más?
Visi	Tres más.
Pilar	¿Tres más?
Visi	Sí.
Pilar	¿Le gustan los niños entonces?
Visi	Muchísimo
Pilar	¿Cuántos chicos son y cuántas chicas?
Visi	Ocho varones y cinco hembras.
Pilar	¿Cómo se llaman?
Visi	Se llaman, de mayor a menor, José Arturo, Carlos, César, María Mercedes, María Marta, Alberto Vicente, Juan Ramón, Ana Cristina, Ricardo, Belén, Ana . . . Marcos, Silvia y David.
Pilar	Son trece, ¿sí?
Visi	Sí, sí, están justos.
Pilar	¿Se confunde usted alguna vez a llamarlos?
Visi	¡Ay sí! Sí, sí, sí, sí.
Pilar	¿Sí?
Visi	Muchas veces.
Pilar	¿Y qué hacen? ¿Qué hacen sus hijos?
Visi	El mayor es médico.
Pilar	¿El que se llama . . .?
Visi	José Arturo. Carlos es maestro.
Pilar	¿Y el siguiente?
Visi	Ingeniero de montes. María Mercedes, mmm, secretaria en una oficina. María Marta estudia y va a hacer filología inglesa.
Pilar	¿Aquí en Cuenca?
Visi	En Madrid de momento.
Pilar	El siguiente, ¿cuál es?
Visi	El siguiente es, mmm, . . .
Pilar	¿No se acuerda?
Visi	Alberto Vicente.

Pilar	¿Qué hace Alberto?
Visi	Va a hacer también estudios de montes.
Pilar	Y los otros, ¿qué hacen?
Visi	Están todos en la escuela, a excepción del pequeño que todavía no tiene la edad.
Pilar	¿Y está en casa?
Visi	Sí.
Pilar	¿Cuántos viven con ustedes y cuántos viven fuera?
Visi	Pues, viven todos a excepción de los tres mayores que durante el curso estudian en Madrid.
Pilar	¿Hay alguno casado?
Visi	No, todavía no.
Pilar	Con una familia de trece niños, ¿tienen todos el mismo carácter o hay diversidad de caracteres?
Visi	Hay mucha diversidad. Hay de todo.
Pilar	¿Qué caracteres tienen?
Visi	Pues, los hay tranquilos, los hay muy nerviosos, muy temperamentales, bueno, de todo, de todo, . . . sentimentales.
Pilar	¿Usted es tranquila?
Visi	Sí.
Pilar	¿Y su marido?
Visi	Pues, no. Es un temperamento muy nervioso.
Pilar	Bueno, una última pregunta. ¿Son ustedes la familia más numerosa de Cuenca?
Visi	Pues, no. Hay dos más.
Pilar	¿Cuántos hijos tienen?
Visi	Pues, una dieciocho hijos, y la otra, que es familia de un doctor ginecólogo, son catorce.
Pilar	¿Es normal tener tantos hijos?
Visi	No, hoy en día no es normal.
Pilar	¿Pero a usted le gusta?
Visi	Sí, a mí sí.
Pilar	¿No le importa tener más hijos?
Visi	Nada, no me importa nada.
Pilar	Bueno, pues, ¡buena suerte! Y muchas gracias.
Visi	Muchas gracias a ustedes.

¿quiere decir esto . . .?	does this mean . . .?
¿piensa tener más?	are you thinking of having more?
¿qué edad tienen?	how old are they?
están justos	that's all of them
ingeniero de montes	forestry expert
de momento	at the moment
¿no se acuerda?	don't you remember?
que todavía no tiene la edad	who isn't yet old enough
hay de todo	there are all sorts
hoy en día	these days
¿no le importa . . .?	wouldn't you mind . . .?
¡buena suerte!	good luck!

A propósito

Premios de natalidad These are the prizes which are presented annually to the families with the largest number of children. Each province gives an award and there are also three national prizes of 150,000, 100,000 and 75,000 pesetas. The original purpose of these awards was to try to stimulate the birthrate and fill up some of Spain's empty spaces. (The present population is a mere 36 million and the country is over twice as big as Great Britain.) Incidentally, it's the father who is accredited with the achievement. The prize is given to him and it's presented on Father's Day. This kind of male dominance or male chauvinism has a Spanish name – it's called *machismo*, from the word *macho* meaning 'male', and those guilty of practising it are known as *machistas*.

Familias numerosas Although there are no family allowances as such, there is a system of benefits which provides an addition to the monthly salary of 250 pesetas for every child in the family and 375 pesetas for the spouse.

There is also a special classification of *familias numerosas* which allows large families to obtain reductions on rail travel and payment of school fees. These reductions vary with the category of the family. A family of between four and six children counts as *1ª. (primera) categoría*; between seven and nine children is *2ª. categoría*, and a family of ten or over is considered as a *familia numerosa de categoría de honor*. However, despite the prestige still attached to the large family, there is a growing feeling that 'small is beautiful' as far as numbers are concerned.

Resumen

1 Finding out about others

a) Asking what people are called

¿cómo se llama	su marido? el camarero? usted?

If there's more than one person, add *–n*

¿cómo se llaman	las niñas? sus amigos?

b) How old they are

¿cuántos años or ¿qué edad	tiene	Pilar? su hijo?

c) Where they're from

¿de dónde es	Pedro? su mujer? usted?

¿de dónde son	Pedro y María? sus amigos?

d) What they're like

¿cómo es su marido?	es	alto(s)	(tall)
¿cómo son sus hijos?	son	bajo(s)	(short)
		gordo(s)	(fat)
		nervioso(s)	
		elegante(s)	

e) What they do for a living

¿qué hace | José?
María Marta?

2 Spanish regions

soy de Andalucía – soy andaluz/andaluza
ella es de Galicia – es gallega
son de Cataluña – son catalanes

● **he, she, they**

The word for 'he' is **él**
for 'she' is **ella**
for 'they' is **ellos** or **ellas**

If the group of people is made up of men and women you say **ellos**.

You use *él, ella, ellos/ellas* with the same verb endings as with *usted/ustedes*, but they are generally used only for emphasis or to clarify who it is you're referring to.

él traba**ja** en Alicante   **ellos** estudi**an**
ella traba**ja** en Barcelona   **ellas** hac**en** trabajos domésticos

Prácticas

1 You're very nosy and you want to find out all about the Buendía family. Look at the family tree and then try asking the questions and giving the answers, all in Spanish. You'll need this vocabulary:

el abuelo/la abuela	– grandfather/grandmother
el padre/la madre	– father/mother
el tío/la tía	– uncle/aunt
el hermano/la hermana	– brother/sister
el nieto/la nieta	– grandson/granddaughter
los abuelos	– grandparents
los tíos, etc.	– aunts and uncles, etc.

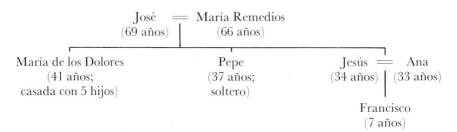

José = María Remedios
(69 años)   (66 años)

María de los Dolores   Pepe   Jesús = Ana
(41 años;   (37 años;   (34 años) (33 años)
casada con 5 hijos)   soltero)

Francisco
(7 años)

1 *Pregunta*   (How many aunts and uncles does Francisco have?)
  Respuesta
2 *Pregunta*   (How old are Francisco's grandparents?)
  Respuesta
3 *Pregunta*   (Is Pepe married?)
  Respuesta
4 *Pregunta*   (How many grandchildren do José and María Remedios have?)
  Respuesta
5 *Pregunta*   (Has Francisco any brothers?)
  Respuesta

2 *¿De dónde son?* Match these people with their regions.

a) los andaluces
b) los aragoneses
c) los castellanos
d) los catalanes
e) los extremeños
f) los gallegos
g) los vascos

Here are some clues:
a) Viven en el sur de la península y tienen fama de ser muy alegres.
b) Zaragoza es la capital de su región.
c) Su idioma es el idioma oficial del país.
d) Viven en las provincias de Gerona, Barcelona, Lérida y Tarragona.
e) Vienen de la región de Extremadura que limita al oeste con Portugal y al sur con Andalucía.
f) Se encuentran al noroeste de España.
g) Hablan un idioma muy viejo y difícil de aprender.

3 You're in a bar in Madrid at lunch-time. One of the other customers is talking with an accent you don't recognise. You strike up a conversation . . .

Usted	(*Ask him where he's from*)
El señor	Yo soy de Sevilla.
Usted	(*So he's Andalusian?* say: *¿Entonces . . .?*)
El señor	Sí, pero ahora trabajo y vivo aquí en Madrid.
Usted	(*Ask if a lot of Andalusians work here in the capital*)
El señor	Sí, bastantes. Hay muy poco trabajo en Andalucía.
Usted	(*What kind of work do they do?*)
El señor	Hacen todo tipo de trabajo. Trabajan en bares, en oficinas, en talleres.
Usted	(*Ask him what work he does*)
El señor	Soy cocinero en un restaurante.
Usted	(*Is it an Andalusian restaurant?*)
El señor	No, es gallego.
Usted	(*Ask him what kind of food he cooks (prepares)*)
El señor	Principalmente, platos con mariscos. Mi especialidad es pulpo a la marinera. ¿Le gusta?
Usted	(*No, you don't like octopus*)

El señor	Pero el mío es muy rico y suculento. Vamos ahora al restaurante a comer pulpo.
Usted	(*Thanks very much but . . .*)

4 *Los juguetes* (toys). What kind of toys do Spanish children like? Eduardo asked the owner of a toy shop in Barcelona.

Eduardo	¿Qué juguetes les gustan a los niños entre cinco y nueve años?
La mujer	Hay un juguete que son unos muñecos que representan casi siempre soldados. Hay tres tipos, uno que se llama 'Big Jim', el otro 'Geyperman', y el otro 'Marvelman' – diferentes medidas, y cada uno tiene sus trajes, sus coches, diferentes accesorios.
Eduardo	¿Cuáles son los accesorios de uno de estos muñecos?
La mujer	Normalmente el 'Geyperman' tiene trajes de soldado, de diferentes países. El 'Big Jim' es más el tipo de hombre aventurero – o sea el hombre que va a la jungla y tiene todos sus medios para ir a la jungla. Y entonces el 'Marvelman', que es más pequeño, también es tipo soldado.
Eduardo	Y los niños más mayores, ¿qué quieren?
La mujer	Van a buscar los juguetes mecánicos, o sea el tenis eléctrico, o los coches que van con pilas y un volante que ellos pueden dirigir.
Eduardo	Y las niñas entre nueve y catorce años, ¿qué prefieren?
La mujer	Pues, las niñas de esta edad son bastante difíciles porque ya son un poco mujercitas. A alguna le gusta dibujar, a alguna pintar, también leen novelas, y en realidad, pues, nada más ya.

1 In what age group are the children who like 'Big Jim', 'Geyperman' and 'Marvelman'?
2 What sort of outfits does 'Geyperman' have?
3 What kind of character does 'Big Jim' represent?
4 What kind of children like battery-operated cars?
5 Why are girls in the 9–14 age group difficult to please?
6 What are the three activities that they prefer?

Revision

Barcelona: el Parque Zoológico

Radio

1 It was a very hot day at Barcelona Zoo, *el Parque Zoológico*, and people were looking enviously at the dolphins in their pool. Eduardo talked to one of the bystanders, a young girl.

Eduardo	Hola, buenos días.
La niña	Buenos días.
Eduardo	¿Qué te gusta más del zoo?
La niña	Me gustan los delfines y los monos.
Eduardo	¿Cómo son los delfines? ¿Qué hacen?
La niña	Saltar, jugar – muchas cosas. Además de jugar, también nadan, comen.
Eduardo	¿Y los monos?
La niña	Los monos a veces se pelean, comen, juegan.
Eduardo	¿Sí?
La niña	Sí.
Eduardo	¿Hay muchos delfines?
La niña	Dos.
Eduardo	¿Dos?
La niña	Sí.
Eduardo	¿Hay muchos monos?
La niña	Bastantes.
Eduardo	¿Cuántos?
La niña	No sé . . . unos diez, aproximadamente.
Eduardo	¿Cuál es el animal que te gusta menos en el zoo?
La niña	Los cocodrilos y las serpientes.
Eduardo	Los cocodrilos y las serpientes. ¿Qué animal te gustaría tener en casa?
La niña	El loro.
Eduardo	¿El loro?
La niña	Sí.
Eduardo	¿Por qué?
La niña	Es muy parlanchín y me gusta mucho.

2 Sr Bravo is one of Cuenca's characters. One of his many loves is classical music and he told Pilar exactly what he thought about pop music. He was careful though to make a distinction between pop music and popular music.

Pilar	¿Le gusta la música moderna, la música pop?
Sr Bravo	Bueno, una cosa es la música pop y otra cosa la música moderna, porque en toda música moderna hay música buena y hay música mala. La música pop . . . bueno, no soy partidario de esa música. La odio.
Pilar	¿No es partidario . . .
Sr Bravo	No soy partidario de la música pop.
Pilar	. . . de la música popular?
Sr Bravo	No, no, de la música *pop*.
Pilar	Pop. Pero, para usted . . .
Sr Bravo	La música popular, por ejemplo, pues, son los mayos, las canciones folklóricas de folklore regional, la jota . . . el pasodoble también es música popular.
Pilar	Entonces, ¿a usted le gusta la música popular pero no la música pop? ¿Por qué no le gusta la música pop?
Sr Bravo	Porque la música pop no es más que un ruido. No tiene nada de música. Es estridente.
Pilar	¿No tiene ritmo?
Sr Bravo	Ya digo que tiene ritmo unas veces sí y otras veces no. Es una música estridente, es una sucesión de gritos, de voces. No me gusta.
Pilar	¿No le gusta?
Sr Bravo	No me gusta.
Pilar	¿Decididamente no le gusta?
Sr Bravo	Decididamente. Para mí esa música es lamentable, una verdadera calamidad de música.
Pilar	Bueno, muchísimas gracias.

3 Joaquina is one of the women mentioned by Conchita in chapter 14. She talked to Eduardo about her work as a school cleaner.
a) How many hours a day does she work?
b) Does she work morning and evening in the same school?
c) Does her husband work on Saturdays?
d) Who does the shopping?
e) Does she have a refrigerator?

Eduardo	Buenas tardes.
Joaquina	Buenas tardes.
Eduardo	¿Cómo se llama usted?
Joaquina	Joaquina.
Eduardo	Joaquina, ¿está usted casada?
Joaquina	Sí, con cinco hijos.
Eduardo	Sí. ¿Trabaja usted?
Joaquina	Sí.
Eduardo	¿Qué trabajo hace, concretamente?
Joaquina	Limpieza de colegio.
Eduardo	De colegio. ¿Trabaja todo el día?
Joaquina	O sea, hago de seis de la mañana a diez de la mañana, después yo a casa, pues hago la compra, hago las cosas de la casa, y

	después, a las cinco de la tarde vuelvo otra vez a otro colegio, hacer la limpieza de cinco a nueve de la noche.
Eduardo	¿Trabaja usted los sábados?
Joaquina	No, los sábados no.
Eduardo	¿Y su marido?
Joaquina	Tampoco.
Eduardo	¿Me puede decir qué aparatos tiene usted en casa?
Joaquina	¿Aparatos? Bueno, pues, lo normal . . . la lavadora – no automática – el frigorífico, . . .
Eduardo	¿Televisor?
Joaquina	Sí, la televisión.
Eduardo	¿Tienen ustedes coche?
Joaquina	No – el coche de San Fernando.
Eduardo	¿Cómo va el coche de San Fernando?
Joaquina	Pues, cada día un buen paseíto.

además de	besides
bastantes	quite a lot
¿qué animal te gustaría tener en casa?	what animal would you like to have at home?
es muy parlanchín	it's very talkative
no soy partidario de . . .	I'm not a fan of . . .
no tiene nada de música	it has nothing musical about it
ya digo que	I tell you now that
unas veces sí y otras veces no	sometimes yes and sometimes no
una verdadera calamidad de música	a real musical disaster
después yo a casa	afterwards I go home
hago la compra	I do the shopping
el coche de San Fernando	Shanks's pony
cada día un buen paseíto	every day a good walk

A propósito

Los zoos

The only Spanish cities with big zoos are Madrid and Barcelona. The one in Madrid is a modern zoo where the animals can roam around in relative freedom, whereas *el Parque Zoológico* in Barcelona is smaller and older. However, it's worth visiting if only to see the albino gorilla called *Copito de nieve* ('Snowflake'). There's also a bear on which you can practise your Spanish – if you shout at him *¡la vuelta!* (turn round), he obeys!

The education system

Children between the ages of two and five can go to the equivalent of nursery school *(el Jardín de la Infancia* or *la Guardería)*. The education is non-formal, voluntary and usually private.

Compulsory education begins at the age of six and ends at fourteen. There's no division into primary and secondary education, all eight years are spent at one school, *una escuela de Educación General Básica (*EGB*)*. There is a shortage of State schools and it's often difficult for parents to find places for their children (there are no 'catchment' areas). A lot of children have to go to private schools where fees are high and even in the State schools all materials, books, paper, etc., have to be paid for by the parents.

Those who reach a certain standard in their EGB can go on to take the *Bachillerato* and then the *COU (Curso de Orientación Universitaria)* which is a one-year pre-university course. Both of these are done at either a State *instituto* or a private *colegio*. Those who don't reach the required standard in their EGB are awarded *un Certificado de Escolaridad*, which is a certificate of attendance. They can then try to get a job or go on to do technical training *(formación profesional)*.

Universities, for which there are relatively few grants, provide degree courses which last five years. According to the provisions of the present Education Act you can leave after the first three years with a diploma, although this has no official status. Those who manage to stay the course and pass the examinations are awarded *una licenciatura* (a degree).

In addition to the universities, there are *escuelas universitarias* which offer three-year diploma courses in more vocational subjects such as EGB teaching and nursing.

Resumen

1 Likes and dislikes

Saying you like something	**me** gust**a**	el vino la música
If it's more than one thing	**me** gust**an**	los monos las vacaciones
Saying you like doing something	**me** gust**a**	trabajar comer
Asking someone else	¿**le** gust**a**	salir con amigos? ir a los toros?
Asking more than one person	¿**les** gust**a**	bailar? leer?
If you don't like something, just put *no* in front	no, no me gusta	

VERBS

Verbs are listed in the glossary as infinitives (e.g. *trabajar, comer, vivir*). The verb endings which you use to refer to yourself, others, etc., depend on whether the infinitive ends in *–ar* (e.g. *trabajar*), *–er* (e.g. *comer*) or *–ir* (e.g. *vivir*).

1 Talking about yourself

  (yo) trabaj**o**   com**o**   viv**o**

2 Talking to or about someone else

     trabaj**a**   com**e**   viv**e**

  with *usted, él, ella, José, María*, etc.
  or with *se* when it refers to people in general

3 Talking to or about others

     trabaj**an**   com**en**   viv**en**

  with *ustedes, ellos, ellas, José y María*, etc.

4 Talking about yourself and others

You'll have seen the endings *–amos*, *–emos* and *–imos*. These are the equivalent of 'we . . .' in English.

e.g. habl**amos** con el señor . . .   we are speaking to Mr. . . .
    est**amos** en el camping Albatros   we are in the Albatros campsite
    ten**emos** películas de 20 fotos   we have 20-exposure films
    viv**imos** en Cuenca   we live in Cuenca

Although most verbs follow the pattern given above, there are plenty of exceptions.

A lot of common verbs are irregular in the first person singular (i.e. when talking about yourself).

ser	soy		tener	tengo
estar	estoy		hacer	hago
ir	voy		salir	salgo
dar	doy		decir	digo

With a number of other verbs an *e* in the infinitive changes to *ie* and an *o* changes to *ue* (as does the *u* of *jugar*).

comenzar	com**ie**nzo	com**ie**nza	com**ie**nzan
p**o**der	p**ue**do	p**ue**de	p**ue**den
j**u**gar	j**ue**go	j**ue**ga	j**ue**gan
pref**e**rir	pref**ie**ro	pref**ie**re	pref**ie**ren
qu**e**rer	qu**ie**ro	qu**ie**re	qu**ie**ren
t**e**ner	tengo	t**ie**ne	t**ie**nen

In the glossary the verbs that change in this way are written with the appropriate (*ie*) or (*ue*) in brackets.

ser		**estar**	
soy	es	estoy	está
somos	son	estamos	están

ser is used to describe who you are, what you are and what people and things are like

    yo **soy** violinista
    Carlos **es** maestro
    María **es** alta y delgada
    los habitantes de este barrio **son** catalanes

estar is used to describe where people and things are

    el Rastro **está** en Madrid
    ¿dónde **está** Pepe?

and how they are, when describing a mood, a reaction, or something that isn't a permanent quality or feature

    está muy bien   (describing a meal)
    estoy muy contento   (describing your mood)

When referring to marital status, you say:

> **estoy** casado,–a
> *but* **soy** soltero,–a

se

When you're talking about what people in general do you can use the word *se*

> **se come** a la una y media
> **se va** al cine
> **se visita** a los amigos

se is also used when you're saying what's being done, without mentioning who is doing it

> el banco | **se abre**
> | **se cierra**

When *se* is used in this way, you add –*n* to the verb when the noun is plural

> los bancos | **se abren**
> | **se cierran**

Personal **a**

When describing what's being done to a person, even if they're only being visited, looked at or helped, you have to put *a* between the verb and the object

> se visita **a** los amigos
> se ve **a** la novia
> ayudo **a** mi madre

ADJECTIVES

Adjectives ending in a consonant which describe where people come from add –*a* in the feminine singular

> es | irlandés – irlandesa
> | catalán – catalana

If they end in –*e*, they don't change

> es   conquense – conquense (from Cuenca)

In the plural:

> | irlandeses – irlandesas
> son | catalanes – catalanas
> | conquenses – conquenses

These adjectives don't have capital letters, although the names of the places themselves do

> Irlanda
> Cataluña
> Cuenca

Most adjectives go after the noun they are referring to

> el vino blanco
> la lata pequeña

However, the words for 'good' and 'bad' usually go in front

> buenos días
> mala suerte (bad luck)

If *bueno* and *malo* are describing something masculine and singular, the *–o* is lost

> un buen plato (a good dish)
> mal día

The same happens a) to *primero* (first) and *tercero* (third)

> en primer plato
> el tercer piso

and b) to *alguno* (any) and *ninguno* (no), which then need a written accent

> algún día
> no hay ningún restaurante

Sometimes *grande* is used before the noun, in which case it loses the *–de*

> en su gran mayoría
> Gran Bretaña

To get across the idea of belonging or possession, you can use **de**:

> el padre de Fernando
> el coche de Juana

or **mi(s)** mi padre mis padres
su(s) su trabajo sus labores

su(s) can mean 'his', 'her', 'their' or 'your'. It's usually clear from the context.

The words for 'mine' and 'yours' are **mío,-a** and **suyo,-a**:

> este libro es **mío**
> esta bolsa es **suya**
> aquellos platos son **suyos**

Prácticas

1 You've just sat down in a café. Your friendly neighbour sharing the table is determined to engage you in conversation.

Él	Perdón, ¿tiene hora?
Usted	*(Yes, tell him it's 2 o'clock)*
Él	Las dos. Mmm . . . ¿un cigarrillo?
Usted	*(No thanks, you don't smoke)*
Él	¿No fuma? ¿Entonces no tiene fuego?
Usted	*(No, you haven't got a light)*
Él	¡Camarero! ¿Tiene fuego, por favor? Gracias. *(to you)* ¿Es usted de aquí?

Usted	(*No, you're from Pontypridd. It's in Wales*)
Él	Ah, ¡usted es inglés!
Usted	(*Put him right!*)
Él	¿Qué hace usted aquí en Cuenca?
Usted	(*You're on holiday. You like Cuenca a lot*)
Él	¿Y trabaja usted en Ponti . . .?
Usted	(*No, you work in London, You're a barman*)
Él	¿Barman? ¡Qué bien! Trabaja mucho, ¿no?
Usted	(*You work in a pub. You start at 11 in the morning and work until 3, and in the evening you work from 5.30 until 11 – except Sundays*)
Él	¿Y éstas son las horas del bar?
Usted	(*Yes, it's different in England*)
Él	Sí. ¿Y dónde se puede beber después de las once de la noche?
Usted	(*You can't drink in a pub after 11*)
Él	¡Hombre! Yo me quedo en Cuenca.

2 The results of a survey of Spaniards' leisure interests are given in the table below. Are the following statements based on the survey true or false?

¿Qué le gusta más hacer en su tiempo libre?	Mujeres	Hombres
	%	%
Escuchar música	91	88
Ir al cine	81	77
Leer	77	64
Salir con amigo/a	70	80
Reunirse con amigos	76	71
Salir con un grupo	70	69
Salir de paseo	64	58
Estar en casa con algún 'hobby'	46	43
Mirar tiendas	46	16
Escuchar la radio	41	39

	Sí	No
1 Más hombres que mujeres prefieren salir de paseo.		
2 A los hombres les gusta más salir con un grupo que a las mujeres.		
3 A los hombres les gusta más salir de paseo que leer.		
4 A los hombres les gusta más mirar tiendas que ir al cine.		
5 La actividad más popular es escuchar música.		
6 A las mujeres les gusta más leer que a los hombres.		
7 A las mujeres les gusta más estar en casa con algún 'hobby' que a los hombres.		

3 One of the people who took part in the survey, Sra Galdós, gave the following description of herself and her interests. Read through the passage, then imagine that you're describing Sra Galdós to a friend of yours and make the necessary alterations (e.g. *estoy casada* becomes *está casada*).

Estoy casada y no tengo hijos. Vivo en un piso viejo en un barrio céntrico de Madrid. Mi marido es ingeniero y yo soy estudiante en la Facultad de

Filosofía y Letras de la Universidad de Madrid. Estudio todos los días, y por las tardes trabajo en un bar. No tenemos mucho dinero pero nos gusta ir al cine de vez en cuando *(from time to time)*. A mi marido le gusta mucho cocinar, yo prefiero comer fuera. No me gusta mucho la comida que él hace.

4 A good job?

Empresa Exportación–_____1_____, precisa

SECRETARIA

Para departamento de _____2_____

Se requiere:

Idiomas. Italiano escrito y hablado
_____3____ escrito y hablado
____4____ mecanografía
Buen nivel cultural

_____5_____ ofrece

Jornada laboral de lunes a _____6_____
Buen ambiente de trabajo
_____7____ de 8 a 17.30
Revisión anual de _____8_____

Interesadas Tel. Srta ____9____ **Teresa,**
223-55-81

la empresa	company	*hablado*	spoken
el idioma	language	*la mecanografía*	typing
escrito	written	*el ambiente*	atmosphere

This small ad was placed in the Jobs Vacant section of a Spanish newspaper, but unfortunately some of the words were lost. Can you fill them in from this list?

horario
buena
importación
se
salario
viernes
María
exportación
inglés

5 And now for something a bit different.

¿Qué significan estas señales de tráfico?
What do they mean? Tick the correct box.

1 Escuela.
2 Sólo para hombres.
3 Cruce de personas a pie.
4 No hay coche.

1 Plaza de Toros.
2 Atención a animales en la carretera.
3 Se vende leche.
4 Zoo.

1 Iglesia.
2 Atención al excesivo tráfico.
3 Catedral de interés turístico.
4 Correos y Telégrafos.

1 No pasar.
2 Cuidado con los camiones.
3 Atención al tren, paso de vía de tren.
4 Prohibido cruzar los brazos.

1 Obligatorio tocar el claxon.
2 Curva peligrosa.
3 No tocar el claxon.
4 Doblar a la izquierda.

1 Se acerca a cruce de vías del tren.
2 Estación del tren.
3 Prohibido el paso de trenes.
4 Paso de trenes cada tres horas.

1 Cruce peligroso.
2 Servicio de socorro.
3 Farmacia.
4 Prohibido cruzar.

1 Calle principal a la derecha.
2 Taller de reparaciones de coches.
3 Aparcamiento de tractores.
4 Estacionamiento de taxis.

1 Sólo autobuses pueden circular.
2 Aparcamiento de la Pensión.
3 No se permite aparcar autobuses.
4 Aparcamiento reservado para autobuses.

Daily routines

Al señor Bravo le gusta pasear . . .

me levanto sobre las diez	**I get up about 10 o'clock**
me acuesto tarde	**I go to bed late**

Radio

1 Sr Bravo has a well-established routine. He is retired now and although he is a reformed alcoholic he spends a lot of time in bars. Why does he go there?

Pilar	Señor Bravo, ¿es usted de Cuenca?
Sr Bravo	No soy de Cuenca, soy de un pueblo de la provincia.
Pilar	¿Cuántos años tiene?
Sr Bravo	Sesenta y siete.
Pilar	Eh, ¿trabaja usted, señor Bravo?
Sr Bravo	No, no trabajo.
Pilar	¿Está jubilado?
Sr Bravo	Estoy jubilado ya.
Pilar	¿En qué consiste un día, o cómo es un día para usted? ¿Qué hace?
Sr Bravo	Pues, todos los días hago lo mismo. Me levanto sobre las diez o las once de la mañana, me doy un paseo, voy al bar, me tomo un refresco.
Pilar	¿Qué bebe?
Sr Bravo	Pepsi-Cola, Coca-Cola, Bitter Kas, refresco de naranja o de limón. Después, me marcho a casa a comer.
Pilar	¿A qué hora come?
Sr Bravo	Sobre las tres.
Pilar	Y después, ¿qué hace?
Sr Bravo	Después, dos horas de siesta o tres.

Pilar	¿Todos los días?
Sr Bravo	Todos los días, en invierno y en verano.
Pilar	¿Hasta qué hora duerme?
Sr Bravo	Hasta las ocho . . . hasta las ocho de esta hora oficial, que son las seis.
Pilar	¿Y después, cuando se levanta de la siesta . . . ?
Sr Bravo	Pues, otro paseo al bar.
Pilar	Al bar.
Sr Bravo	Sí.
Pilar	Es decir, ¿sus paseos son a los bares?
Sr Bravo	A los bares.
Pilar	¿Siempre?
Sr Bravo	Siempre. A las once de la noche, me voy a cenar . . . ceno, y me acuesto.
Pilar	¿A qué hora se acuesta?
Sr Bravo	Sobre la una.
Pilar	¿Sobre la una? ¿Qué hace usted en los bares?
Sr Bravo	Beber.
Pilar	¿Bebe alcohol, señor Bravo?
Sr Bravo	No, no bebo alcohol.
Pilar	¿Nada de alcohol?
Sr Bravo	Nada, absolutamente nada de alcohol. Bebía, pero ya no bebo. Yo era prácticamente un alcohólico.
Pilar	¿No tiene ganas de beber alcohol?
Sr Bravo	Ninguna.
Pilar	¿No tiene tentaciones?
Sr Bravo	Ninguna.
Pilar	Pero ¿va a los bares?
Sr Bravo	Claro. Voy a los bares por el ambiente, por charlar, por distracción.
Pilar	¿Tiene amigos en los bares?
Sr Bravo	Muchos. Tengo muchos amigos.
Pilar	¿Y charla con ellos?
Sr Bravo	Sí, charlamos de todo, de todo.

2 Sr Ovidio is married with three young children. He works at the radio station in Cuenca. Every Sunday he and his family get away from town and spend the day in the pine woods of *los Palancares*.

a) What time does Sr Ovidio usually get up?
b) What do the family do before getting ready to go out for the day?
c) Do they travel far from Cuenca?
d) What kind of food do they take with them?
e) When do they return home?

Pilar	Señor Ovidio, ¿qué va usted a hacer este domingo?
Sr Ovidio	Pues, este domingo me voy a levantar como todos los domingos poco más o menos sobre las nueve de la mañana. Voy a ir a misa con mi familia, que tengo una mujer y tres hijos – dos niñas y un niño. Y después de asistir a la santa misa voy a, como todos los domingos, preparar el equipo para salir al campo cuando hace buenos días.
Pilar	¿Dónde van ustedes a ir?

Sr Ovidio	Vamos a ir muy cerca de Cuenca a un pinar que está a muy pocos kilómetros de la ciudad. Vamos a ir a los Palancares.
Pilar	¿Y qué van ustedes a hacer ahí?
Sr Ovidio	Pues, vamos a pasar el día en el campo, vamos a preparar la comida, vamos a jugar con nuestros hijos.
Pilar	¿Qué van ustedes a comer?
Sr Ovidio	Nosotros vamos a comer comida que preparamos en el campo. Nos llevamos chuletas, morcillas, chorizos, y eso es lo que vamos a comer.
Pilar	Y después, ¿a qué hora van a volver?
Sr Ovidio	Vamos a volver cuando empieza a ponerse el sol.

sobre las diez	around 10 o'clock
me doy un paseo	I go for a walk
me tomo un refresco	I get myself a soft drink
bebía	I used to drink
yo era	I was
¿no tiene ganas de beber alcohol?	you don't have any desire to drink alcohol?
hora oficial	official time (Sr Bravo reckons time by the sun)
cuando hace buenos días	when it's a nice day

A propósito

La siesta Although shops and offices shut for a long lunch hour, not all Spaniards take a *siesta* every day. The *siesta* is more usual in the summer, when the heat is greater, and many people work *una jornada intensiva*. That is, they complete the whole day's work between 8 am and 2 pm, or even 7 am and 3 pm, working without a break. The custom of resting after lunch does not imply that Spaniards sleep more than other nations – remember that bars, restaurants and some cinemas are open until well after 1 am, and it is common to see even families with young children out until very late.

La misa del domingo According to a recent survey of Spaniards' religious attitudes, about 80% of the population consider themselves Catholic, although only half of these actually attend Mass. For those who do, it is no longer obligatory to go to church on Sundays. One of the Vatican Council's reforms has made it permissible for those Catholics unable to attend Mass on Sunday to go on Saturday evening instead. A lot of people opt for this alternative, especially during late spring and summer when they keep Sundays free for family outings.

Ferias y romerías Every city, town and village has its own patron saint or Virgin (sometimes one of each), whose feast day is celebrated with a fair, a procession, a bullfight or *una romería* (a pilgrimage to the local shrine). One of the most colourful of these is *la Romería del Rocío* which takes place in the province of Huelva on Maundy Thursday. People travel in carts, on horseback or on foot from all over the west of Andalusia to visit the shrine of the Virgin. It's a religious ritual, but it's also a celebration with much dancing, singing and drinking.

Two of the best-known *ferias* are *Las Fallas* and *San Fermín*. *Las Fallas* are held in Valencia between the 12th and 19th March. The high point of the celebration is on the last night, when the carnival floats, which have been lovingly prepared by the inhabitants of each of the city districts, are paraded through the streets and then burned, all this to the accompaniment of a tremendous firework display. *San Fermín* is celebrated in Pamplona from 6th to 14th July. Night and day during this time the streets are full of revellers, but the most important event is the bull-running, *el encierro*, which takes place every day. A number of bulls are let loose on the outskirts of town and they run through the fenced-off streets towards the bull-ring, with the most daring of the men running in front of them. In the nearby town of Estella there is a very similar event from 26th July to 1st August, with the difference that women are also allowed to run in the *encierros*.

Resumen

Daily routines

1 Talking about what you usually do

| ¿a qué hora | come
cena | usted? | como a las dos
ceno a las nueve |

| *but* ¿a qué hora | **se** levanta
se acuesta | usted? | **me** levanto a las siete
me acuesto a las once |

You'll find that some of the verbs which describe daily activities have an additional *se* when referring to *usted, ella* or *él*, or *me* when referring to what you do. For more about these verbs see pp. 175 and 203.

2 Saying what you're going to do

To talk about what is going to happen, you use the appropriate part of the verb *ir* (*voy, va, vamos*, etc.) followed by *a* and the verb you want in the infinitive (the *–ar, –er, –ir* ending).

| ¿qué va a hacer | este domingo?
mañana? | **voy a** | ir a misa
trabajar en casa
visitar a mis amigos |

If there's more than one of you

| ¿qué van a hacer ustedes? | **vamos a** | pasar el día en el campo
jugar con nuestros hijos |

3 Nosotros

The word for 'we' is *nosotros*, or *nosotras* (feminine). You don't often need it except for emphasis, as the verb ending *–amos, –emos* or *–imos* is sufficient.

estar – **estamos**	tener – **tenemos**	salir – **salimos**
cenar – **cenamos**	comer – **comemos**	preferir – **preferimos**

but ir – **vamos**

ser – **somos**

The word for 'our' is *nuestro* or *nuestra*, and it changes like other adjectives ending –*o*.

nuestro	hijo coche	**nuestra**	hija casa

nuestros	amigos hijos	**nuestras**	amigas casas

4 Time

To say *precisely* when something happens

a las cinco a la una	**en punto**

and to say *about* what time it happens

sobre **hacia**	las dos

5 The weather

To say what the weather is like, you use the word *hace*.

if it's	a nice day good weather	**hace**	buen día buen tiempo
if it's	a rotten day bad weather	**hace**	mal día mal tiempo
if it's	hot cold	**hace**	calor frío

● levantarse, acostarse, etc.

These verbs are called reflexive verbs and they require an extra *se, me* or *nos*, depending on the person referred to.

(yo)	**me** levanto	(nosotros/nosotras)	**nos** levantamos
(él/ella/usted)	**se** levanta	(ellos/ellas/ustedes)	**se** levantan

This type of verb is most commonly used to describe actions one does to oneself such as getting up, having a shower/a wash/a shave, etc.

me levanto; **me** ducho; **me** lavo; **me** afeito

Some verbs have both reflexive and non-reflexive forms, with slightly different meanings, e.g. *irse* (to go away) and *ir* (to go). On the other hand, some people make verbs reflexive without really changing the meaning, rather like the English 'I'll buy (myself) a hat'. It's a case of personal style, as with Sr Bravo: *me tomo un refresco.*

In the glossary at the back these verbs are listed *acostarse*, *levantarse*, etc. The *se*, *me*, etc., is also put on the end of the infinitive in such expressions as:

voy a levantar**me**   (I'm going to get up)
quiero acostar**me**   (I want to go to bed)

although with *ir a* it can go before:

me voy a levantar
(él) **se** va a acostar
nos vamos a levantar

Prácticas

1 You're doing some interviewing one afternoon for *¡Dígame!* You stop a girl and ask her some questions.

Usted	(Greet her)
Ella	Buenas tardes.
Usted	(Using the 'we' form of the verb, tell her you're doing a survey on Spaniards and their work; and ask her her name)
Ella	Me llamo Pepita Jiménez.
Usted	(Ask her where she works)
Ella	Trabajo en el cine.
Usted	(In the cinema? Very interesting. Ask her how she spends a normal day)
Ella	¿Un día normal? Bueno, me levanto bastante tarde.
Usted	(What time does she get up?)
Ella	Sobre las once.
Usted	(Ask her if she has breakfast (desayunar – to have breakfast))
Ella	Sí, desayuno, pero como muy poco – solamente una naranja.
Usted	(Just an orange – what does she drink?)
Ella	Bebo un vaso de agua caliente.
Usted	(Why? Doesn't she like coffee?)
Ella	Sí, claro, pero tengo que seguir el régimen.
Usted	(And after breakfast, what does she do?)
Ella	Hago ejercicios.
Usted	(What kind of exercises?)
Ella	Nado y hago yoga. Después me ducho y me lavo el pelo.
Usted	(Ask her what time she goes to the studio – el estudio)
Ella	¿Al estudio? ¡Hombre! Voy al cine – al Cine Granada, allí enfrente.
Usted	(But isn't she an actress? – actriz)
Ella	¿Actriz? ¡Ojalá! Soy taquillera – vendo las entradas y a veces vendo los helados.

2 Artemio Cruz presents a late night radio show for the Spanish Overseas Service. He often receives letters from Spanish listeners in Europe and here is one of them. Some of the words are missing – can you fill them in from the list below?

176

años   música   noches   puedo   acostamos   soy
tiene   radio   trabaja   canciones   Londres   mi
pueblo   marido   nuestros

Querido Artemio:

Escucho su programa todas las .... Me encanta oír todas las .... pop, y sobre todo la .... regional.

Yo .... aragonesa, de un pequeño .... de Zaragoza, y me gusta muchísimo oír 'la jota' en la .... Yo vivo con .... marido y .... hijos en ...., capital de Inglaterra. Manolito tiene doce .... y va a un instituto que hay cerca de casa. Es muy trabajador y .... un carácter muy serio. Mi .... trabaja en una fábrica de neumáticos y cada quince días hace el turno de noche. Cuando .... durante el día nos .... muy temprano porque él se levanta a las cinco. Esos días no .... escuchar el programa que me da tantas horas de felicidad.

Agradecida le saluda,

3 Here's a description of someone's journey to work. What would she say if she was travelling with a friend? You need to change the 'I' to 'we' each time. (Note: *encuentro* is from *encontrar*).

Salgo de casa a las siete y media y a veces tomo el Metro. Trabajo en un instituto al otro lado de la ciudad y el viaje es bastante pesado. A veces me levanto tarde y voy en taxi. Compro el periódico y lo leo mientras desayuno café con churros en la cafetería que hay junto al instituto. A veces encuentro a mis amigos, y hablo con ellos de las noticias del día antes de empezar la clase.

4 You're in the airport lounge at Barajas (Madrid's airport). You overhear snatches of various conversations, but it's all a bit confused. Can you give each question its appropriate answer?

Preguntas

1 Y ¿cuánto tiempo van a pasar en Marruecos?
2 ¿Cuánto dura el viaje a Mallorca?
3 ¿Hay un estanco por aquí?
4 ¿Y cuándo va a regresar a España?
5 ¿Entonces usted es médico?
6 Tarda mucho el vuelo. ¿Por qué no tomamos una copa?
7 ¿Viaja con Iberia?

Respuestas

a) Voy a volver a Madrid el día doce.
b) No, yo soy carnicero – mi hermano es médico.
c) Vamos a quedarnos quince días.
d) Una hora y media, más o menos.
e) Yo no quiero – las bebidas son muy caras aquí.
f) No, señor. Viajo con mi abuela.
g) No sé. Pregúntele al camarero.

5 ¿Cómo pasa un día? One of the people from Cuenca, Milagros Lázaro, describes a day in her life.

Me levanto por la mañana sobre las ocho menos cuarto. Me ducho, me arreglo, y después me voy a comprar y al mismo tiempo saco el perro a darle un paseo. Después de hacer la compra y sacar el perro me vengo a casa y voy preparando la comida para cuando viene mi hija, que viene sobre las dos o dos y cuarto. Comemos; después fregamos los platos. Unas veces duermo un poquito y otras coso. No puedo coser mucho porque veo poco con el ojo izquierdo. Después, suelo salir otra vez a pasear el perro; durante el verano me siento un rato en la plaza a ver lo que pasa, y en invierno me vengo a casa y miro la televisión. Preparo la cena, cenamos, y después otro rato a ver la televisión, y sobre las once y media me acuesto.

1 What does she do while taking the dog for a walk in the morning?
2 Does she always have a sleep in the afternoon?
3 Why can't she spend much time sewing?
4 What does she do on summer evenings?
5 How do you know that she doesn't have dinner alone?
6 What time does she go to bed?

. . . *y tomar un refresco en el bar*

Saying
what you think

Tranquilidad en Cuenca

creo que	**I believe that** ....
porque	**because** ....

Radio

1 Milagros Lázaro was born and bred in Cuenca and she told Pilar about the advantages and disadvantages of living there.

a) Does she prefer Cuenca in summer or in winter?
b) What are the advantages of living in Cuenca?
c) And the disadvantages?
d) Why is life more peaceful in winter?
e) Are there many tourists?

Pilar	¿Es usted de Cuenca?
Milagros	Sí, sí, nacida y criada.
Pilar	¿Es entonces una verdadera conquense?
Milagros	Pues, sí. Adoro Cuenca además.
Pilar	Adora Cuenca. ¿Por qué?
Milagros	Pues, porque es muy tranquila y . . . es el aire muy sano . . . y me gusta por eso.
Pilar	¿Cuándo prefiere Cuenca? ¿En invierno o en verano?
Milagros	Bueno, me es . . . me es indistinto, me gusta en las dos estaciones.
Pilar	Y ¿cuándo es más tranquila? ¿En invierno o en verano?
Milagros	En invierno.
Pilar	¿Por qué?
Milagros	Porque hay un bar muy cerca de casa y entonces hacen menos ruido en invierno que en verano.

Pilar	¿Hay muchos turistas en verano en Cuenca?
Milagros	Pues, sí, suele haber bastantes.
Pilar	¿Esto cree que es bueno o malo para la ciudad?
Milagros	Bueno, para unas cosas es bueno y para otras es malo.
Pilar	¿Por ejemplo?
Milagros	Por ejemplo, es bueno porque los comercios venden más y le dan más ambiente a la capital, pero por otro . . .
Pilar	Se pierde la tranquilidad.
Milagros	Se pierde la tranquilidad, claro.
Pilar	Muchísimas gracias.
Milagros	De nada.
Pilar	Adiós.
Milagros	Adiós.

2 Sr Andrés, a shopkeeper, pointed to a major problem – the lack of work for the *conquenses*.

Pilar	Señor Andrés, ¿es usted de Cuenca?
Sr Andrés	Sí.
Pilar	¿Y reside en Cuenca?
Sr Andrés	Sí, de siempre.
Pilar	¿En qué parte de la ciudad vive? ¿En la parte antigua o en la parte moderna?
Sr Andrés	Vivo en la parte moderna de la ciudad pero mi ilusión es vivir en la parte alta, no como residencia habitual sino como residencia temporal.
Pilar	Dígame, ¿qué hay de bueno y qué hay de malo en Cuenca?
Sr Andrés	De malo, pues, la falta de trabajo para todos los que nacen en ella, y de bueno, pues, el clima y la paz que se respira.
Pilar	¿Le gusta vivir en Cuenca?
Sr Andrés	Sí.
Pilar	¿En qué otra parte de España le gustaría vivir?
Sr Andrés	¡En Cuenca!
Pilar	¿Siempre en Cuenca?
Sr Andrés	Exactamente, sí.
Pilar	¡Bravo! Estoy de acuerdo.

3 Pilar asked Jaime Velasco about the two different parts of Cuenca and the kind of people who live in each. His job gives him plenty of opportunity to meet people and see what's going on – he has a stall and sells chestnuts during the winter and ice-cream in the summer.

Pilar	Se dice que hay dos Cuencas. ¿Es cierto?
Jaime	Pues, yo creo que sí . . . la parte alta – la parte antigua, y la parte baja . . . eh, la parte de los señoritos, que es abajo, y la parte de los no-pudientes, que es arriba.
Pilar	Entonces, ¿quién vive en la parte alta y quién en la parte baja?
Jaime	Pues, yo creo positivamente que los pudientes viven en la parte baja.
Pilar	¿Es decir, la gente que tiene dinero?
Jaime	Exactamente, y yo creo también que en la parte alta estamos, como se dice, los que no tenemos un real.

Pilar	Y los pintores, ¿dónde viven? ¿En la parte alta o en la parte baja?
Jaime	No, no, no, no. Estos señores viven siempre en la parte alta. Es un sitio tranquilo. Eh, les da tiempo para pensar, para escribir, y también para descansar.
Pilar	¿Es decir que la parte alta es la parte obrera y la parte bohemia a la vez?
Jaime	Exactamente, ésa es la palabra justa.
Pilar	¿Cuál es la parte que más le gusta a usted?
Jaime	Ah, por supuesto, la parte alta – la Plaza Mayor, la calle del Trabuco, las Carmelitas, unos rincones formidables . . . y aquí vivimos tranquilamente. No nos interesa la parte baja.
Pilar	Entonces, ¿usted es una persona de la parte alta de Cuenca?
Jaime	¡Hombre! Naturalmente, y no me cambio.

nacida y criada	born and bred
me es indistinto	I don't mind
suele haber bastantes	there are usually quite a lot
residencia ⎧ habitual ⎨ temporal	⎧ permanent ⎨ temporary ⎬ residence
todos los que nacen en ella	all those who are born here
estoy de acuerdo	I agree
¿es cierto?	is it true?
los no-pudientes	the 'have-nots'
los pudientes	the 'haves'
como se dice	as they say
los que no tenemos un real	those of us who don't have a penny
a la vez	at the same time
la palabra justa	the right word
unos rincones formidables	some great little places
y no me cambio	and I'm not going to change

A propósito

Los pisos With the growing tendency of young workers and their families to leave the rural areas and settle in the cities, there has been a great increase in the density of urban populations. For example, in 1978 Barcelona had a density of 19,177 inhabitants per square kilometre, compared with a national average of 70 people per square kilometre (in Great Britain the national average was 230 people per square kilometre). Of necessity, most city-dwellers live in flats, *pisos*, although they don't see living in high-rise blocks as a barrier to community life, rather as something desirable. Most blocks of flats have a tenants' association, and there's a general belief that going up and down in the lift gives you as good a chance to get to know your neighbours as does talking over the garden fence (in fact, there are very few houses with gardens or garden fences in Spain).

There are Government controls to restrict the building of large blocks of flats in town centres and to ban it completely from districts designated as conservation areas. This often creates the kind of division between old and new parts of a town which is so striking in Cuenca.

El turismo As Spain receives over 35 million foreign tourists a year, it is no
surprise that the tourist industry plays an important part in keeping the
balance of payments healthy. However, not everyone is happy with the
situation. Firstly, tourism provides a source of income over which Spain has
very little control. As long as Europe remains prosperous all is well, but any
recession, such as occurred in 1974, hits Spain very hard, and equally the
increase in Spain's inflation rate serves to discourage foreign tourists.
Secondly, there is criticism of the way in which foreign tour operators have
been allowed to take over many holiday hotels, so that most of the money finds
its way into their pockets instead of into the Spanish Treasury. And thirdly
there is no doubt that some areas have positively suffered from the tourist
boom – prices have been pushed up, the environment has been changed and
often spoiled by the building of large hotels, and services and facilities have
been greatly overloaded. Still, with critics or without, with inflation or
without, tourists will keep going to Spain, mostly for its climate, and tourism
will continue to play an important part in the Spanish economy.

Resumen

1 Expressing opinions

Saying what you believe: **creo que . . .**
                 or think: **pienso que . . .**

creo que **pienso que**	los pudientes viven en la parte alta van a llegar tarde se puede aparcar aquí

Asking someone else's opinion

¿qué | **cree** **piensa** | usted?

To agree or disagree with someone else's point of view

estoy de acuerdo	no estoy de acuerdo
usted tiene razón	usted no tiene razón
es verdad	no es verdad
es cierto	no es cierto

If you're not sure

no estoy seguro,–a	
puede ser	quizás
es posible	tal vez

2 Asking for and giving reasons

why . . .?   **¿por qué . . .?**
because . . .   **porque . . .**

¿por qué adora Cuenca?	porque es muy tranquila
¿por qué prefiere Cuenca en invierno?	porque hay menos turistas

3 Pros and cons

Asking about good and bad points

¿cree usted que esto es bueno o malo?

Possible replies   es bueno porque . . .

es malo porque . . .

para unas cosas es bueno, para otras es malo

Saying what is best about something	lo mejor es . . .
or worst	lo peor es . . .
or simply the good thing	lo bueno es . . .
the bad thing	lo malo es . . .

Prácticas

1 *Una visión de Cuenca.* Tick the correct statement, according to the interviews in this chapter.

1   La ilusión del señor Andrés es

    a) vivir en la parte moderna de Cuenca.

    b) vivir en la parte baja.

    c) vivir parte del tiempo en la parte antigua.

    d) vivir en una residencia temporal.

2   Lo malo de Cuenca según el señor Andrés es

    a) el trabajo de Cuenca.

    b) la parte moderna.

    c) los que nacen en ella.

    d) que no hay mucho trabajo.

3   Y lo bueno es

    a) la falta de clima.

    b) el clima.

    c) que hay trabajo para todos.

    d) que hay que respirar paz.

4   En la parte antigua de Cuenca viven

    a) los viejos.

    b) los realistas.

    c) los que no tienen mucho dinero.

    d) las señoritas antiguas.

5   En la parte baja viven

    a) los que tienen dinero.

    b) los bajos.

    c) los señores pequeños.

    d) los económicamente débiles.

6   Los pintores viven en la parte alta porque

    a) son obreros.

    b) no son señoritos.

    c) no pueden vivir sin pintar.

    d) trabajan mejor en paz.

7   A Jaime Velasco le gusta vivir
   a) al lado de un bar.
   b) en las calles antiguas y típicas.
   c) en la parte moderna.
   d) solo.

2 Can you supply the missing words? Dialogue no. 1 in this chapter will help you if you're stuck.

Milagros .... una verdadera conquense, porque es una mujer nacida ......
criada en Cuenca. A Milagros ...... gusta vivir en Cuenca durante .... el año,
no le importa si es .... o verano, aunque dice que en invierno ...... más
tranquilidad porque hay menos .... Aunque no le gusta ver tantos turistas,
cree .... es bueno para los comerciantes .... venden más, y es bueno
también porque los turistas le ...... más ambiente a la ciudad.

3 You're at a party and a rather overbearing guest seems very anxious to discover your views on Spain. You try to be evasive.

Él	¿Y qué piensa usted del nuevo gobierno?
Usted	*(Well, the ministers – los ministros – are very young)*
Él	Sí, exactamente – son demasiado jóvenes para gobernar.
Usted	*(Well, it depends . . .)*
Él	No, este país es un desastre. Y los precios, la inflación – ¿qué le parece?
Usted	*(It's terrible, but it's the same in England)*
Él	Siempre es peor aquí. ¿Sabe usted cuánto cuesta la gasolina?
Usted	*(No, you're not sure)*
Él	¡Unas cuarenta pesetas el litro! ¿Qué le parece esto?
Usted	*(It's very expensive)*
Él	¡Es intolerable! Todo es culpa del gobierno y de la gente que no quiere trabajar.
Usted	*(You think that a lot of people can't work because there isn't any work)*
Él	¡Excusas! ¡Disculpas! No quieren hacer nada – y los estudiantes son los peores.
Usted	*(But you're a student and you work very hard – mucho)*
Él	*(slightly taken aback)* Bueno, siempre hay excepciones . . .
Usted	*(You decide to change the subject and ask him where he's going to spend his holidays this year)*

4 Ángel Cruz is one of the community of painters referred to by Jaime Velasco. He gives his view of the *conquense* character.

Pilar	¿Cómo es el conquense típico?
Ángel	Podemos decir muchas cosas. Creo que en general el conquense típico es un hombre serio, noble, pero también abierto y hospitalario.
Pilar	¿Y la conquense típica?
Ángel	Ella también es abierta, alegre, y naturalmente es bonita.
Pilar	Los conquenses en general, ¿son distintos de otros españoles?

184

Ángel	Considero que sí. Yo creo que en España hay una gran variedad de tipos y considero que los conquenses tenemos muchas diferencias con la gente de otras regiones como, por ejemplo, los catalanes o los gallegos.
Pilar	Pero ¿qué tipo de diferencias?
Ángel	Aparte de diferencias de idiomas y de costumbres, hay también diferencias de carácter – o sea, diferencias raciales e históricas.
Pilar	¿Usted piensa que todos los españoles son abiertos?
Ángel	Bueno, hay excepciones, pero creo que en general predomina este carácter, o sea que el español conecta muy rápidamente con otra gente.

1 Serious, and hospitable – what are the other two qualities of the typical *conquense*?
2 What extra characteristic do women from Cuenca possess?
3 What two other Spanish regions are mentioned by Ángel?
4 What are the main differences between regions, apart from those of language and customs?
5 Does Ángel think that all Spaniards are open and friendly?

Jaime Velasco con su negocio ambulante

Getting better acquainted...

Manola ligando . . .

| si te invita a ...., ¿qué dices? | if he invites you to ...., what do you say? |
| le digo que .... | I tell him that .... |

Radio

1 How does a girl make excuses if a boy asks her out and she doesn't want to go? Alternatively, how does she do the asking? Jordi asked a girl in Barcelona.

Jordi   Nuria, si un chico te invita a cenar y tú no quieres, ¿qué disculpa pones?

Nuria   Le digo que tengo mucho trabajo aquel día, o bien que aquella noche tengo que terminar un trabajo muy urgente y no puedo salir, no puedo . . .

Jordi   ¿Y si insiste?

Nuria   Le digo que mi trabajo es muy importante y no puedo dejarlo en aquel momento o que tengo una cita con otra persona y que yo no puedo partirme.

Jordi   Pero si quieres aceptar, ¿qué dices?

Nuria   ¡Que sí!

Jordi   Supongamos que eres tú que quieres salir con un chico que te gusta mucho. ¿Qué le dices?

Nuria   Lo llamo por teléfono, le digo que aquel dia yo no tengo que hacer nada y le pregunto si quiere venir conmigo al cine.

Jordi   ¿Y si te dice que no?

Nuria   Le vuelvo a preguntar si puede otro día ir al cine.

Jordi   O sea, insistes.

Nuria   Sí.

2 Manola, a 20-year-old student from Cuenca, claims to be very shy when it comes to asking boys out.

a) What does she do if she knows the boy?
b) What does she suggest to him?
c) How does an evening out generally begin?
d) Why does the boy usually end up paying?
e) What happens if it's a boy she doesn't already know?

Pilar   Manola, si ves a un chico que te gusta, que quieres salir con él, ¿qué haces?

Manola   Depende. Si es un chico que conozco, pues voy a hablar con él. Le insinúo que mis padres no están y que esa noche tengo ganas de salir. Si pone un poquito de interés, pues la noche empieza por la cena.

Pilar   ¿Dónde vais?

Manola   ¿Dónde vamos? ¿A cenar, dices?

Pilar   Sí.

Manola   Pues, creo que normalmente hasta ahora voy a los sitios más baratos, a la Plaza Mayor a algún mesón de por allí arriba.

Pilar   ¿Quién paga?

Manola   El chico. El chico, porque yo no tengo casi nunca dinero.

Pilar   Y si es un chico que no conoces, ¿qué haces?

Manola   Es mucho más difícil, porque me lo tengo que ligar.

Pilar   ¿Eres tímida?

Manola   Sí, sí, mucho.

Pilar   ¿Eres tímida?

Manola   Sí.

Pilar   ¡¿Eres tímida y vas a ligar?!

Manola   ¡Hombre, claro que voy a ligar!

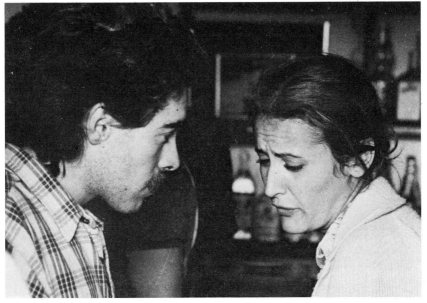

. . . pero después de todo, el chico no le gusta tanto

3 When do you call someone *tú* and when *usted*? Laura, who is in her mid-twenties, gives a modern view.

Jordi   Laura, ¿con quién empleas el tú y con quién empleas el usted?
Laura   Mira, normalmente empleo el tú con casi todo el mundo – con la familia, con los amigos, con los niños, y con todas aquellas personas que son jóvenes o de mediana edad. El usted lo empleo pocas veces. Empleo el usted en los lugares oficiales como correos, teléfonos, en ciertas tiendas si no conozco el personal, pero muy pocas veces.
Jordi   ¿Tú crees que tratar de usted es una muestra de respeto?
Laura   No. Yo pienso que es una costumbre, pero no una muestra de respeto. Antes sí, pero ahora creo que no es una muestra de respeto.
Jordi   Entonces, ¿por qué lo empleas?
Laura   Porque tengo esta costumbre de mis padres.

¿qué disculpa pones?	what excuse do you make?
o bien que	or else that
supongamos que eres tú que . . .	let's suppose that it's you who . . .
lo llamo por teléfono	I phone him up
conmigo	with me
le vuelvo a preguntar	I ask him again
mis padres no están	my parents are out
tengo ganas de salir	I feel like going out
si pone un poquito de interés	if he shows a bit of interest
¿a cenar, dices?	you mean for dinner?
hasta ahora	up till now
de por allí arriba	up there
me lo tengo que ligar	I have to chat him up
de mediana edad	middle-aged
pocas veces	rarely
una muestra de respeto	a mark of respect

A propósito

Tú and **usted** A few years ago it would have been easy to explain when to use *tú* and when to use *usted*. You used *usted* with your superiors, your elders and people you didn't know, (it was sometimes even the custom for children to address their parents as *usted*). But usage is changing, particularly in cities, and Spaniards themselves are often not sure which one to use. The best advice is to use the formal *usted* when you're asking for things in shops, hotels, banks, etc. (unless you're talking to children). That way you won't offend anyone by appearing to talk down to them. Use *tú* in more informal settings, when talking to Spaniards of around your own age, if you've come to know them quite well, though among the young *tú* is used even when you hardly know each other. When you're not sure which to use, you can always ask: ¿*hablamos de tú o de usted?* Otherwise just wait to see what Spaniards do.

Remember above all that, in a way, using *tú* is rather like slapping someone on the back – it can be seen as a gesture of friendship or as impolite and disrespectful, depending on who it is done to. Naturally, with increasing informality of manners, *tú* is becoming more widely used.

Ir de paseo This is a Mediterranean pastime which doesn't really have an equivalent in Great Britain (the climate has quite a lot to do with it!). *Un paseo* isn't quite a walk, it's more like a leisurely stroll, and it's something you do not in the country but around the streets and squares of towns and villages. *El paseo* is a social event – it's where you meet people, see people, where you show off your new clothes, where business is done and where boy meets girl. All this happens after the day's work is finished until it's time for supper – for which it gives the strollers a healthy appetite.

Resumen

1 tú and usted

When you're talking to a friend, you don't use *usted* but the more informal *tú* (see *A propósito*). Just add –*s* to the verb ending you use with *usted*, (and of course the *tú* is only needed for emphasis).

with *usted*	with *tú*
¿adónde va?	¿adónde **vas?**
¿qué hace?	¿qué **haces?**
¿qué dice?	¿qué **dices?**

With reflexive verbs you use *te*:
¿cómo **te** llamas?
¿a qué hora **te** levantas?

The plural of *tú* is *vosotros* or *vosotras* and it is used for talking to more than one friend. The verb ending is usually –*áis*, –*éis* or –*ís*:

trabajar	¿dónde trabaj**áis?**
hacer	¿qué hac**éis?**
vivir	¿dónde viv**ís?**

There's no accent on

sois	(from *ser*)
dais	(from *dar*)
vais	(from *ir*)

The word for 'your' when you're speaking to a person you call *tú* is *tu*, and it agrees as follows

tu	amigo casa	**tus**	padres amigas

2 tengo que . . . and tengo ganas de . . .

If you've *got* to do something

tengo que	ir a . . . salir con . . . ver . . . visitar . . .

and if you *feel like* doing something

tengo ganas de	ir a . . .
	visitar . . .
	conocer . . .

3 Knowing

There are two verbs which mean 'to know' and they're not interchangeable.

You use *conocer* in the sense of being acquainted with people and places

¿conoce		
¿conocen	a Juan?	sí, conozco . . .
¿conoces	España?	sí, conocemos . . .
¿conocéis		

You use *saber* for knowing facts, or how to do things

¿sabe español?		sí, sé español
¿sabe	dónde está?	sí
¿sabes	jugar al tenis?	no, no sé

● You use *pienso que* and *creo que* to express your opinions (see p. 182). To say what you've told someone else you use *digo* with *le* (him/her) or *les* (them).

le digo que tengo mucho trabajo
les digo que no puedo salir

You also use *le* and *les* with other verbs

le pregunto si quiere salir conmigo
les llamo por teléfono
le insinúo que mis padres no están

●● **lo(s)** and **la(s)**

To avoid repeating the name of an object you can just say *lo* or *la* (it)

¿tiene el plano?	sí, **lo** tengo
¿tiene la bolsa?	no, no **la** tengo

In the plural, use *los* or *las* (them)

¿tiene los periódicos?	sí, **los** tengo
¿tiene las aspirinas?	sí, **las** tengo

●●● The position of *le*, *lo*, *la*, etc., is usually just before the verb, but when they're used with infinitives they're often put on the end

tengo que llamar**le**
voy a comprar**lo**

Prácticas

1 What would these questions be if used informally, i.e. when talking to a friend?

1 ¿Puede cambiar un billete de cien?
2 ¿A qué hora va a levantarse?
3 ¿Tiene hora, por favor?
4 ¿Cuánto quiere?
5 ¿Por qué no viene conmigo?
6 ¿Cómo se llama?
7 ¿Qué hace aquí?
8 ¿Es éste su coche?

2 If people give you the following replies, are they accepting or refusing your invitation? Tick the correct box.

Acepta   *Rehusa*

		1	Lo siento.
		2	Con mucho gusto.
		3	No puede ser.
		4	Encantada.
		5	Perdone, pero no.
		6	Por nada del mundo.
		7	Hoy es imposible.
		8	Bueno, no tengo otra cita . . .
		9	Siempre que quiera.
		10	Me gustaría, pero . . .
		11	¡Qué lástima pero no puedo!

3 You're off to the beach and your friend is asking if you've got everything. Tell him you have each time, but don't repeat the word – just use *lo, la, los* or *las*, e.g. *sí, lo tengo*. There are some new words – if you can't guess their meaning, look them up in the glossary.

1 ¿Tienes el mapa?
2 ¿Tienes la comida?
3 ¿Y el vino?
4 ¿Tienes los bañadores?
5 ¿Tienes la crema bronceadora?
6 ¿Y las toallas?
7 ¿Y el transistor?
8 ¿Y el quitasol?

4 Here are the opening lines of some conversations. Make sense of them by matching the remarks or questions in column (A) with the appropriate replies from column (B).

(A)	(B)
1 ¿Trae retraso el tren?	a) Gracias, pero no tengo este vicio.
2 ¿Hay otro autobús pronto?	b) Sí, para mí está demasiado fría.
3 ¿Es la primera vez que coméis aquí?	c) No, venimos todos los días.
4 ¿Está fría el agua hoy?	d) Claro que sí, el expreso no llega nunca a tiempo.
5 ¿No es difícil bailar con tanta gente?	e) Es normal a esta hora de la noche.
6 ¿Quiere un cigarrillo?	f) Yo no, pero pídalo en ese quiosco.
7 Nunca se encuentra un taxi cuando se necesita.	g) Pasan cada media hora.
8 Por favor, ¿tiene cambio?	h) Sí, pero la música es buena.

5 You're sitting in the hotel bar waiting for your sister. A young man approaches you . . .

Él   Por favor, ¿tienes hora?
Tú   (*Yes, it's two o'clock*)
Él   Gracias. Tú no eres de aquí, ¿no? ¿Eres francesa?
Tú   (*No, you're Irish*)
Él   Ah, entonces estás de vacaciones. ¿Cuánto tiempo vas a pasar aquí en Tarragona?
Tú   (*You're going to Barcelona tomorrow*)
Él   ¿Conoces Sitges?
Tú   (*No, you don't know it*)
Él   Está en la costa cerca de Barcelona. Tiene una playa maravillosa. ¿Quieres visitarlo? Tengo coche . . .
Tú   (*No, you're sorry but you can't*)
Él   ¿No te gusta la playa?
Tú   (*Yes, of course, but you've got to wait for your sister*)
Él   ¡Ajá! ¿Tienes una hermana? ¿Por qué no vamos los tres?
Tú   (*You don't feel like going to the beach – you don't know how to swim*)
Él   ¿No sabes nadar? Entonces te enseño si quieres.
Tú   (*No thanks, you're going to play tennis with your sister*)
Él   Yo soy campeón de tenis . . .
       Luckily, at this point your sister arrives . . .

What's happened

Londres: el Palacio de Buckingham

¿ha cambiado mucho España?	**has Spain changed much?**
¿han venido muchos turistas?	**have a lot of tourists come?**

Radio

1 Eduardo asked an actor from one of Barcelona's many independent theatres whether he thought Spain had changed much during the year 1977, the year when Spain had its first 'free' elections for 40 years. Incidentally, 'Joan' is a man's name – it's the Catalan equivalent of the Castilian 'Juan'.

Eduardo	¿Ha cambiado mucho España en el último año?
Joan	Políticamente no demasiado, aunque han habido cambios como por ejemplo las elecciones del quince de junio y . . . y otras cosas, pero no ha cambiado de una forma radical.
Eduardo	¿Ha cambiado la vida cultural de la gente?
Joan	Sí, ha cambiado bastante. Actualmente se pueden ver espectáculos bastante más . . . de destape o atrevidos. Ahora realmente se desnudan los artistas.
Eduardo	¿Ha cambiado la censura?
Joan	Sí, la censura sí ha cambiado. No hay tanta censura como antes.
Eduardo	¿Han subido los precios en el último año?
Joan	Sí, los precios han subido muchísimo. Creo que han subido un treinta por ciento este año. Actualmente la gente es más pobre en España, tiene menos dinero, porque el nivel de vida ha subido muchísimo.
Eduardo	Muchas gracias.
Joan	De nada.

193

2 Pablo Soto runs a tour agency in London which specialises in package holidays in England for Spanish-speaking people. Sr Soto talked to Mick Webb, one of the course producers, about his work.

a) Did many Spaniards come to London in 1977?
b) For a lot of people this was the second or third visit – what were the main reasons for their coming?
c) Where did they go (apart from London and the nearby towns)?
d) What didn't they like about English coffee?

Mick	En este último año, ¿han venido muchos turistas españoles?
Sr Soto	Eh, sí. En mil novecientos setenta y siete han venido muchos turistas y de toda clase y . . . sí, las cantidades han sido muy grandes.
Mick	¿Y qué han hecho aquí en Londres?
Sr Soto	Bueno, han hecho un poco de todo, ¿no? Pero . . . unos han venido a . . . por primera vez a este país y han venido a conocer todo lo que es nuevo para ellos, que es mucho, porque son dos países muy diferentes. Otros han venido ya por segunda o tercera vez y vienen a ver revistas musicales, a conocer más profundamente aspectos culturales, a asistir a cursos a veces . . . vienen muchos estudiantes que naturalmente han estado dos o tres semanas, a veces un mes. Y otros han venido, especialmente el año pasado, debido a la diferencia de las monedas, ¿no?, a comprar cosas que son interesantes en Inglaterra en relación con España, ¿no?
Mick	¿Han visitado solamente Londres?
Sr Soto	Londres es el principal lugar de interés, pero la mayor parte de ellos ha venido para ver un poquito de Londres, los lugares cercanos a Londres, como Windsor, Oxford, Cambridge, Stratford, Canterbury. Muchos de ellos han tomado circuitos por el resto del país, ¿no? Han ido por el norte de Inglaterra – Escocia ha sido un lugar, un destino, muy favorecido por los españoles.
Mick	¿Le han dicho algo sobre la comida inglesa?
Sr Soto	Eh, sí. En fin, nos han dicho cosas muy diversas. Creo que se ha logrado un buen nivel de comidas, de menús bastante agradables que no producen grandes quejas, sino al contrario muchas alabanzas. Las cantidades han aumentado, pero al terminar . . . al español generalmente le gusta terminar con un café fuerte, un café de alto contenido de café, ¿no? Claro, cuando le dan una taza grande, muy diluida, pues no lo aprecia, ¿no?

espectáculos bastante más de destape	shows that are a lot more permissive
de toda clase	of all sorts
un poco de todo	a bit of everything
por primera vez	for the first time
en relación con	in relation to
la mayor parte	the majority
en fin	in fact

194

A propósito

Cambios en España After 40 years in power, Generalissimo Francisco Franco died on 20th November 1975, and was succeeded as Head of State by King Juan Carlos. One of Juan Carlos' first political moves was to grant an amnesty to some political prisoners, and there followed a law establishing a political reform of the country. This was passed by the *Cortes* (the Spanish Parliament) in November 1976, just a year after Franco's death. Because this law altered so many of the principles of Franco's constitution, the changes had to be approved by a referendum which took place in December 1976. The result was a massive vote of confidence and the doors were opened for changes on every level. Censorship was relaxed and Spaniards were granted freedom to form and join political parties and trade unions. The first free elections for forty years were also held, on 15th June 1977. The result of the voting was a victory for the parties of the Centre and the Left over the Right, the old supporters of Franco's ideals. The Centre won 166 seats, the Socialists 118, and even the Communist Party, which had been legalised only a few weeks before, won 19 seats.

Spain is now becoming a democratic country, and the changes that are taking place are not only political. Divorce will soon be possible, and the laws on abortion and adultery, both previously punishable by jail sentences, will be changed. Contraceptives have also been legalised. Imminent changes are expected in the labour laws, in tax and tax evasion, penal law, the Police, the Army, and many more aspects of Spanish life.

El destape One of the major changes to have occurred since Franco's death has been in the moral climate of Spanish culture. The relaxation of censorship brought with it a wave of permissiveness and a proliferation of striptease shows and 'girlie' magazines. The word *destape* (*lit.* uncovering) became synonymous with the new freedom which, after the initial explosion, has now acquired a certain respectability. There are controls – pictures of full-frontal nudes must not appear on the covers of magazines, and films with explicit scenes of sex and violence must not be advertised without an accompanying warning to the public.

Resumen

1 Talking about what's happened

To talk about something that *has* happened or something you *have* done recently you use the *perfect* tense of the verb.

You can usually recognise the perfect tense in Spanish from the ending –*ado* or –*ido*

> ¿**ha cambiado** mucho España en el último año?
> los precios **han subido** muchísimo
> **han venido** muchos turistas

To form the perfect tense you need to use
(1) the parts of the verb *haber* (to have)

(yo)	**he**	(nosotros,–as)	**hemos**
(tú)	**has**	(vosotros,–as)	**habéis**
(él/ella/usted)	**ha**	(ellos/ellas/ustedes)	**han**

(2) the past participle of your chosen verb (the equivalent of 'worked', 'eaten', 'come' in English).

For *–ar* verbs the ending of the past participle is *–ado*; for *–er* and *–ir* verbs the ending of the past participle is *–ido*

trabaj**ar**	trabaj**ado**
com**er**	com**ido**
ven**ir**	ven**ido**

Some of the common verbs have irregular past participles

hacer	**hecho**	volver	**vuelto**
decir	**dicho**	escribir	**escrito**
ver	**visto**	abrir	**abierto**

estar, *ser* and *ir* follow the normal pattern and give *estado*, *sido* and *ido*.

No matter who you're referring to, the past participle stays the same, but you have to alter the verb *haber*

(yo) he comprado un plato
(nosotros) hemos comprado un piso
(ellos) han comprado un coche

2 The position of *le/lo/las/me*, etc.

These words always go directly in front of the verb *haber*

lo ha hecho
las han comprado
me he levantado

3 Negatives

The *no* goes first of all

no lo he hecho
no la ha visto

And if you want to add *nunca* (never) or *nada* (nothing), they go right at the end

no lo he hecho nunca
no hemos comprado nada

Prácticas

1 Adolfo has been away from his home town for a year. He meets a friend, Jorge, and asks what has happened while he's been away. Can you put Jorge's answers in the right order?

Adolfo	*Jorge*
1 ¿Qué has hecho durante el año pasado?	a) No, todavía no, pero Luisa y él siguen de novios.
2 ¿No has estado de vacaciones?	b) No mucho. He trabajado un poco, he bebido bastante, he gastado mucho dinero . . .
3 Y nuestros compañeros de la fábrica, ¿se han ido al extranjero?	c) No, este año nos hemos quedado aquí en el pueblo.
4 ¿Y se ha casado Pedro?	d) No, lo único que ha cambiado son los precios. Han subido muchísimo.
5 Así que no ha cambiado nada.	e) ¡No, hombre! Se han quedado aquí en Fuentes.

2 You're staying with a Spanish friend for the summer. She comes back from work and asks what you've been doing during the day.

Tu amiga	¿Qué has hecho hoy?
Tú	*(Tell her you haven't done much)*
Tu amiga	¿Has salido?
Tú	*(Yes, you've been shopping* – de compras*)*
Tu amiga	¿Dónde has ido?
Tú	*(You went to the supermarket in the square)*
Tu amiga	¿Y qué has comprado?
Tú	*(You bought something for supper – fruit, eggs and ham)*
Tu amiga	Muy bien. Voy a preparar la cena.
Tú	*(By the way, Juan telephoned)*
Tu amiga	¿Qué ha dicho?
Tú	*(Say he wants to have supper here this evening)*
Tu amiga	Entonces, hago la tortilla para tres.

3 Can you answer these questions?

Pregunta	¿Quiere un poco más?
Respuesta	*(Thanks, but you've eaten enough* – bastante*)*
Pregunta	¿Has probado este plato?
Respuesta	*(No, you've never tried it)*
Pregunta	¿Han visitado el museo?
Respuesta	*(Yes, you visited it this morning)*
Pregunta	¿Ha sido cómodo el viaje?
Respuesta	*(No, it was a terrible journey)*
Pregunta	¿Dónde has comprado el traje?
Respuesta	*(You bought it in Teruel)*
Pregunta	¿Le ha gustado la película?
Respuesta	*(Yes, you liked it very much)*
Pregunta	¿Has visto el nuevo modelo Seat?
Respuesta	*(No, you haven't seen it yet)*

4 Roberto, a friend of yours, made a list of the things he had to do on his day off. Assuming that everything went according to plan, a) ask him some questions about his day off, and supply the answers.

Sábado 10 mañana	**tarde**
_ TELEFONEAR AL ELECTRICISTA _ IR AL MÉDICO _ ENVIAR TELEGRAMA A JUANA	_ SACAR LAS ENTRADAS PARA EL TEATRO _ RECOGER EL TRAJE DE LA TINTORERÍA _ HACER UNA SANGRÍA PARA LA FIESTA

Tú   *(Ask him what he did in the morning)*
Roberto   ....
Tú   *(What did he do after getting theatre tickets?)*
Roberto   ....
Tú   *(Ask him if he made the sangría)*
Roberto   ....

b) This time he gave the answers – what were your questions?

Tú   ....
Roberto   El electricista me ha dicho que va a venir el lunes.
Tú   ....
Roberto   He sacado cuatro.
Tú   ....
Roberto   No, la tintorería está muy cerca.
Tú   ....
Roberto   Ha costado doscientas pesetas enviarlo a Londres.

5 This is one of a series of letters sent to a Spanish newspaper on the subject of Cuba. The letter from Isabel is addressed to a previous correspondent, with whom she didn't agree.

> Sr D Pedro Martínez
>
>   Yo he leído su carta publicada en el número 120 de esta fabulosa revista, y me ha sorprendido bastante. Creo que Vd. ha exagerado las dificultades de los cubanos que desean salir de Cuba. Yo no sé mucho sobre esto porque tengo solamente dieciséis años y nunca he estado en Cuba. Pero tengo amigos que han residido allí y no han encontrado dificultades para salir del país. La abuela de mi amiga ha venido recientemente a España y no ha tenido ningún problema para sacar su pasaporte.
>
>   Atentamente le saluda,
>   Isabel García

(Vd. is the short way of writing usted)

1   Do you think in general Isabel likes the magazine? If so, why?
2   What does she think Pedro Martínez exaggerated in his letter?
3   How old is Isabel?
4   How often has she been to Cuba?
5   Why does she disagree with Pedro Martínez?
6   What nationality do you think her friend's grandmother is?

Revision

Liberto, titiritero extraordinario, y su esposa

Radio

1 Liberto is a salesman, but at the weekends he runs a Punch and Judy show in the *Pueblo español* in Barcelona. He talked to Jordi about his work.

a) What characters do his puppets represent, apart from the devil and witch?
b) Who does the puppets' voices?
c) Does what the dragon says have any meaning?
d) Are children frightened by the devil?
e) Why does Liberto prefer being a puppeteer to being a salesman?

Jordi	Liberto, usted es viajante pero los fines de semana es titiritero
Liberto	Exactamente.
Jordi	Estos títeres que usted maneja, ¿cuáles son? ¿Qué personajes son?
Liberto	Bueno. Los títeres que yo manejo, eh, son los llamados títeres de guante. Los personajes suelen ser la bruja, el demonio – personajes muy clásicos, muy populares – y luego también, pues, una niña, un niño, un abuelo, y algunos animales – un dragón, un ratón, también una serpiente.
Jordi	Yo supongo que cada personaje de los que intervienen en su obra tiene una voz distinta. ¿Quién realiza estas voces?
Liberto	Pues, las realizo todas yo.
Jordi	¿Y cómo son estas voces? ¿Puede darnos un ejemplo?
Liberto	Sí, naturalmente. Podemos realizar la voz de la niña que suele salir a escena cantando. Por ejemplo, así. *(in a little girl voice)* ¡Hola, buenos días, amiguitos! Sabéis, hoy estoy muy, muy contenta, puesto que voy a la montaña con mis amiguitos. *(in his normal voice)* Ésta es la voz de la niña.

199

Jordi	Y el abuelo, ¿cómo habla?
Liberto	Bueno, el abuelo tiene una voz más suave, más o menos así: *(old man voice)* Oye, pequeña, ¿puedes venir a ayudarme? Tengo mucho trabajo.
Jordi	¿Cómo habla un . . . un dragón?
Liberto	Bueno, el dragón suele tener una voz gruesa: *(in a dragon voice)* ¡¡Guruñí!! ¡¡¡Guruñááá!!! *(in a normal voice again)* Es una fórmula de hacer un gruñido simpático.
Jordi	¿Y no quiere decir nada?
Liberto	Exactamente.
Jordi	¿Qué otros personajes hay?
Liberto	Pues, como popular puedo indicar el demonio, el diablo: *(in devil voice)* ¡Vaya, vaya, vaya! ¿Tenemos al enanito Babi por aquí? Pronto me lo llevo yo al infierno. Rrrrr . . .
Jordi	¿Esto no da miedo a los niños?
Liberto	No. Pues, el demonio no es . . . no es nada feo. Digamos que más bien es simpático.
Jordi	¿Y cuál es el personaje que más les gusta a los niños?
Liberto	Éste suele ser el presentador de las obras. Es un enanito, al cual le llamo yo Babi. El enanito Babi es él que esperan todos los niños, y éste dice así: *(in Babi voice)*

Buenas tardes, amiguitos,
yo soy Babi el enanito,
y como sé que sois todos
muy buenos niños
un cuento os voy a contar
que mucho os va a gustar.

Jordi	¿Le gusta más este trabajo de titiritero que el de viajante?
Liberto	Sí. Me gusta más porque en el de titiritero tengo una cierta libertad de acción, mientras que de viajante he de adaptarme a unas normas de una empresa.

2 We finish up with Ángel, the painter, telling Pilar the different ways in which he greets people, and says goodbye . . .

Pilar	Si a usted le presentan a una persona, ¿qué dice?
Ángel	Depende. Si es una persona mayor y la presentación es formal, entonces digo: 'Encantado', 'Mucho gusto'. Si es una persona joven, normalmente digo, eh: '¡Hola! ¿Qué hay?', '¿Cómo estás?', '¿Qué tal?'
Pilar	Y cuando se va, ¿qué dice a este nuevo conocimiento?
Ángel	Si es una persona mayor, digo: 'Me alegro de haberle conocido', 'Encantado'. Si es una persona joven, digo: 'Adiós, hasta luego', 'Hasta la vista'.
Pilar	Y mañana, ¿qué le vas a decir a Alan que se va?
Ángel	Pues, le diré: 'Chato, tienes que volver. Tenemos que tomar más copas juntos.'

títeres de guante	glove puppets
salir a escena	to come on stage
puesto que	since, as

¡vaya, vaya, vaya!	well, well, well!
pronto me lo llevo yo al infierno	I shall take him straight off to hell
¿esto no da miedo a los niños?	doesn't this frighten the children?
no es nada feo	he is not at all ugly
al cual le llamo yo	whom I call
un cuento os voy a contar	I'm going to tell you a story that
que mucho os va a gustar	you are going to like very much
he de	I have to
¿qué hay? ¿qué tal?	what's new? how's things?
me alegro de haberle conocido	I'm pleased to have met you
le diré	I'll tell him
chato	mate, pal (*lit.* flat-nosed)
tenemos que tomar más copas juntos	we must have a few more drinks together

A propósito

Cartas Spaniards tend to be very formal when writing letters, with the result that sentences are often very complicated and difficult to understand. Here are some general guidelines.

El remite (sender's address) People don't write their address on the letter but on the back of the envelope, so take care when you open a letter from Spain or you may destroy the address.

La dirección (the address) Spanish addresses are written like this

(house no.)

(street name) ⌐

(=segundo, i.e. 2nd floor)

Calle del Pez, 25, 2° E,
Madrid 12

(flat no.)

(town) ⌐   *(district no.)*

La fecha The date goes on the top right-hand corner of the letter, often preceded by the name of the town the person is writing from, e.g.
Londres, el 31 de diciembre de 1978.

El comienzo How you start a letter depends on your relationship with the person you're writing to (there's no universal formula like 'Dear . . .').

A formal letter will start with *Muy señor mío:* or *Muy señores míos:, Muy señor nuestro:,* or *Muy señores nuestros:.*

If you're writing to a male friend, put *Querido Juan:* or *Querido amigo Juan:;* or to a female friend, *Querida Juana:* or *Querida amiga Juana:.* If you like, you can put *Mi muy queridísimo/queridísima:* (but don't complain afterwards if he or she gets the wrong idea!).

If you are writing to an acquantaince, then you have a choice between *Estimado . . .:*, *Apreciado . . .:*, *Inolvidable . . .:*, or, a little more formally, *Distinguido . . .:*. (Remember to change the final *–o* to *–a* when writing to a woman)

The best advice when replying to a Spaniard is to use the same form as he or she has used.

Final de cartas There is also a wide variety of formal endings. You may even receive a letter with the ending *s.s.q.e.s.m.*, which stands for *seguro servidor que estrecha su mano* and means 'your sure servant who shakes your hand'; or *s.s.q.b.s.m.*, where the *b* stands for *besa* (kisses). However, to be practical, it is enough to remember *Atentamente le saluda* for formal letters.

One way to finish a letter to a friend is *Muchos besos de tu amigo/amiga* or *Muchos besos y abrazos de*, or *Sin más por ésta, se despide de ti, con un fuerte abrazo,*; or even better *Con un afectuoso saludo – .* After all of these you just add your name.

Christmas and birthday cards These are not as popular in Spain as in Britain, although birthday and saint's day cards are beginning to be used more.

The correct Spanish phrase for a Christmas card is *una tarjeta de Navidad*, but Spaniards prefer to say *un Christmas* or, more likely, *un crismas*! If you want to send one, write inside *Felices Pascuas* or *Feliz Navidad*, and don't forget to add *y Próspero Año Nuevo*.

On birthdays and saint's days you write *Felicidades* or *Muchas Felicidades*, and to congratulate somebody you write (or say) *¡Enhorabuena!*.

Resumen

VERBS

Most verbs follow these regular patterns

	–**ar** verbs (trabajar)	–**er** verbs (comer)	–**ir** verbs (vivir)
yo	trabajo	como	vivo
tú	trabajas	comes	vives
él, ella, usted	trabaja	come	vive
nosotros,–as	trabajamos	comemos	vivimos
vosotros,–as	trabajáis	coméis	vivís
ellos, ellas, ustedes	trabajan	comen	viven

Some very common verbs are irregular in the first person singular

dar	doy	decir	digo
estar	estoy	hacer	hago
conocer	conozco	salir	salgo
saber	sé	tener	tengo
		venir	vengo

ser and *ir* are irregular throughout

	(ser)	(ir)
yo	soy	voy
tú	eres	vas
él, ella, usted	es	va
nosotros,–as	somos	vamos
vosotros,–as	sois	vais
ellos, ellas, ustedes	son	van

Reflexive verbs are used with additional pronouns (*me, se*, etc.)

	(levantarse)
yo	me levanto
tú	te levantas
él, ella, usted	se levanta
nosotros,–as	nos levantamos
vosotros,–as	os levantáis
ellos, ellas, ustedes	se levantan

Some other reflexive verbs you have met

marcharse, irse, acostarse, ducharse

Radical changing verbs

In these verbs, the middle of the word is altered for all but the *nosotros* and *vosotros* forms. They can be placed in the following main categories:

(a) The *e* changes to *ie*:

(comenzar)	other verbs in this category:	
com**ie**nzo	cerrar	querer
com**ie**nzas	empezar	tener
com**ie**nza	pensar	preferir
comenzamos	sentarse	venir
comenzáis		
com**ie**nzan		

(b) The *e* changes to *i*:

(decir)	others:
d**i**go	seguir
d**i**ces	pedir (to ask for)
d**i**ce	
decimos	
decís	
d**i**cen	

(c) The *o* changes to *ue*:

(poder)	others:	
p**ue**do	costar	doler (to hurt, ache)
p**ue**des	acostarse	volver
p**ue**de		dormir
podemos		
podéis		
p**ue**den		

The past

To say what has happened, you use the present tense of the verb *haber*

he	hemos
has	habéis
ha	han

plus the past participle of the appropriate verb, which normally ends in *–ado* or *–ido*

he trabajado mucho
¿has comido?
han venido María y Pedro

Irregular past participles include

dicho (decir)	puesto (poner)	abierto (abrir)
hecho (hacer)	vuelto (volver)	escrito (escribir)
		visto (ver)

The future

To say what you're going to do, you use the present tense of the verb *ir*

voy	vamos
vas	vais
va	van

plus *a*, plus the infinitive of the appropriate verb

voy a trabajar
vamos a comer
van a venir

Using the infinitive

When two verbs follow one another, the second one is in the infinitive

quiero ir a París   se puede aparcar aquí
¿sabes jugar al tenis?   prefiero viajar en tren

and the infinitive is also used in expressions like

tengo que
tengo ganas de | ir a Madrid

and after *antes de, después de* and *para*

antes de
después de | comer
para ir a Barcelona

PRONOUNS

These short words are used instead of nouns to avoid repeating names of people and objects.

singular	**plural**
me (*me*)	nos (*us*)
te (*you*)	os (*you*)
le (*him/her* – or sometimes *la* is used for 'her')	les (*them*)
lo (*it* – masculine)	los (*them* – masculine)
la (*it* – feminine)	las (*them* – feminine)

> ¿qué **me** recomienda
> aquí **lo** tiene
> **les** digo que no
> ¿cómo **las** quiere?

When you're referring to something that isn't masculine or feminine but just an abstract idea, use *lo*.

> no **lo** creo

Pronouns usually come before the verb. When used with the past tense they come before the verb *haber*.

> **lo** he hecho

When used with infinitives, they are often attached to the end of the infinitive

> es muy interesante visitar**lo**
> voy a levantar**me**

but they can come before

> **nos** vamos a acostar
> **lo** tengo que seguir

After words like *para*, *en*, *de*, *con* (prepositions), you use a different set of pronouns.

singular	plural
mí (*me*)	nosotros, –as (*us*)
ti (*you*)	vosotros, –as (*you*)
usted (*you*)	ustedes (*you*)
él (*him*)	ellos (*them* – masculine or mixed)
ella (*her*)	ellas (*them* – feminine)

> para **mí** un jerez
> ¿a **usted** le gusta el tenis?
> ha venido con **nosotros**

But notice that there are special words for 'with me' 'with you' (informal 'you'). They are *conmigo* and *contigo*.

> ¿quieres salir **conmigo?**
> no, no quiero salir **contigo**

ADJECTIVES

Adjectives have to agree with the noun they refer to, i.e. they change their ending according to whether the noun they accompany is masculine or feminine, singular or plural. Notice that adjectives ending in –*e* and most of those ending in a consonant do not change in the singular.

masculine		feminine	
un paquete	pequeño grande	una lata	pequeña grande

In the plural, most adjectives add –*s*.

masculine		feminine	
dos paquetes	pequeños grandes	dos latas	pequeñas grandes

Those ending in a consonant add –*es*   dos habitaciones individuales

But adjectives which describe where people come from add *–a* in the feminine singular

es | irlandesa
     | catalana

and in the feminine plural they add *–as*:

son | irlandesas
      | catalanas

Adjectives usually follow the noun they refer to, but some common ones go in front:

buenos días   mala suerte   muchas gracias

When describing something masculine and singular, the *–o* is lost from *bueno*, *malo*, *primero* and *tercero*

un buen plato   mal día   en primer plato   el tercer piso

when *grande* is used before a noun, it loses the *–de*
Gran Bretaña

You can just use *el grande*, *la pequeña*, etc., when the noun you're referring to is understood (like 'the big one', 'the small one' in English).

To say **'this one'**   or **'these ones'**, use

éste   ésta   éstos   éstas

according to whether you are referring to masculine or feminine objects.
When you are not referring to a specific thing, use *esto*.

To say **'that one'** or **'those ones'**, use

aquél   aquélla   aquéllos   aquéllas

These words can also be used in front of nouns like ordinary adjectives, in which case they have no written accent.

aquel hombre   aquella mujer

Prácticas

1 Can you choose the right word to complete each sentence?

1 ¿Tiene | un | mapa de la región?   Sí, tengo | uno | .
         | una | | una |
         | dos | | un |

2 ¿Dónde | están | correos?   Está | al | final de la avenida.
          | está | | en |
          | son | | a |

3 ¿Cuánto | ha | costado las espinacas?   30 pesetas el | botella | .
           | he | | litro |
           | han | | kilo |

4 ¿Tiene algo | para / de / por | el catarro? Sí, | tenemos / deme / prefiero | varias cosas.

5 ¿Cuál prefiere, la | lata / paquete / sobre | grande o pequeña? Deme | el / la / los | pequeña.

6 ¿Qué | van / vais / va | a tomar ustedes? | De / Con / Para | mí, | un / una / dos | vermut blanco.

7 ¿Cómo se | llega / sale / dura | a Toledo? Tiene | que / de / a | coger la carretera nacional N.400.

8 ¿Cuándo se puede | visitar / visitan / comer | el museo? Entre las cuatro | hasta / y / a | las siete.

9 ¿Quiere ir | en / a / sobre | avión? No, no me | gusta / gustan / gustar | volar.

10 | Está / Esta / Se | prohibido fumar aquí. | ¿Cuántos? / ¿Por qué? / Porque.

11 ¿A qué hora | me / te / se | come en | éste / este / esta | restaurante? | Lo / La / Le | siento, no se abre los domingos.

12 A | mí / le / usted | me encanta la música | español / Española / española | , sobre todo | lo / la / las | de Andalucía.

13 ¿Cuál | es / está / ésta | su trabajo? Soy telefonista. | Trabajo / Trabajar / Trabaja | en un hotel.

14 ¿ | Cómo / Cuánto / Dónde | es su marido? Es | bajo / baja / bajos | y | mucha / mucho / muy | gordo.

15 Los gallegos viven en el | sur / este / oeste | de | Francia / España / Irlanda | .

16 ¿Qué va | a / de / o | hacer? Voy a visitar | de / la / a | mi madre.

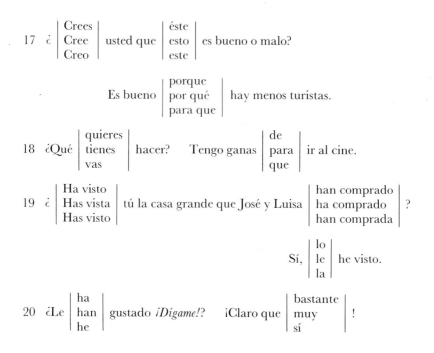

17 ¿ | Crees / Cree / Creo | usted que | éste / esto / este | es bueno o malo?

Es bueno | porque / por qué / para que | hay menos turistas.

18 ¿Qué | quieres / tienes / vas | hacer?   Tengo ganas | de / para / que | ir al cine.

19 ¿ | Ha visto / Has vista / Has visto | tú la casa grande que José y Luisa | han comprado / ha comprado / han comprada | ?

Sí, | lo / le / la | he visto.

20 ¿Le | ha / han / he | gustado ¡Dígame!?   ¡Claro que | bastante / muy / sí | !

2 Which car are they talking about?

Match up these conversations with the cars on the list of tariffs opposite.

1 *El empleado* No señora, en este modelo sólo pueden viajar cuatro personas.
  La señora ¿Y cuánto cuesta alquilar el coche durante seis días?
  El empleado Sólo ciento cincuenta pesetas menos que si alquila el coche una semana.

2 *El empleado* Sí señor, cada kilómetro cuesta el doble que el Seat 127.
  El señor ¿Es un coche Seat?
  El empleado No señor, es un coche de otra marca.

3 *El empleado* En total son ocho mil setecientas pesetas.
  La señorita ¿Ocho mil setecientas pesetas?
  El empleado Sí señorita, tres mil pesetas por el alquiler y cinco mil setecientas pesetas por novecientos cincuenta kilómetros.

4 *El empleado* Por el kilometraje tiene que pagar dos mil setecientas pesetas.
  La señora ¿Dos mil setecientas pesetas?
  El empleado Sí señora, trescientos kilómetros cuestan exactamente dos mil setecientas pesetas.

5 *El empleado* No señor, no es el modelo más caro de los Seat.
  El señor Pero es muy caro.
  El empleado No mucho, es un coche excelente. Sí es cierto que cuesta dos veces más al día que el modelo más barato de los Seat, pero cuesta cien pesetas menos que el más caro.

6 *El empleado* Sí señora, el kilometraje de aquí a Valencia son setecientas cincuenta y una pesetas y cincuenta céntimos.
  La señora Es mucho, ¿no?

208

El empleado	No señora, la distancia de Alicante a Valencia son ciento sesenta y siete kilómetros.
7 *El señor*	¿Cuesta muy caro este modelo?
El empleado	No señor, es el más económico de los modelos con cinco plazas.
El señor	¿Cuánto cuesta una semana?
El empleado	Una semana cuesta tres mil quinientas pesetas, más el kilometraje.

autos PÉREZ

ALQUILER DE COCHES
TARIFAS
COCHES SIN CONDUCTOR ★ DRIVE YOURSELF

	Tipo de coche Type of car		TARIFA 1: Ocupación diaria y kilometraje TARIFF 1: Rental per day and mileage		
			1-6 días 1-6 days	7 o más días 7 days or more	Precio por km. Rate per km
		Plazas Seats	Ptas. día	Ptas.día	Ptas. km
A	SEAT 133.....	4	400	350	4,50
B	SEAT 127......	4	500	450	5,00
C	SEAT 124	5	550	500	5,50
D	SEAT 1430 o SEAT 124 Ranchera........	5	600	550	6,00
E	SEAT 131.....	5	800	750	8,00
F	SEAT 132.....	5	900	800	9,00
G	DODGE-DART	5	1,200	1,000	10.00

3 And now a final phone call. You want to get in touch with Sr Gallegos, so you ring his office.

La secretaria	¡Dígame!
Usted	*(Ask if you can speak to Sr Gallegos)*
La secretaria	Lo sientó, no está. ¿De parte de quién es?
Usted	*(Tell her. Hasn't he received your letter?)*
La secretaria	Lo siento, pero no sé.
Usted	*(Well, what time is he going to arrive at the office?)*
La secretaria	Normalmente llega sobre las nueve, pero hoy no ha venido.
Usted	*(Ask if you can ring him at home)*
La secretaria	¿Es urgente?
Usted	*(Yes, it is fairly important)*
La secretaria	Bueno, es el 4 . . .
Usted	*(You didn't catch that, ask her to repeat it)*
La secretaria	El 45 78 91.
Usted	*(Thank her and say goodbye)*

You ring Sr Gallegos' home number and a woman answers.

Usted	*(Ask if Sr Gallegos is there)*
La mujer	No, acaba de salir *(he has just left)* para ir a la oficina. ¿Por qué no le llama a la oficina?
Usted	*(Ask what time he left)*
La mujer	A las nueve y media.
Usted	*(Thank her and say goodbye)* *(You ring the office again . . .)*

4 Last of all, here's the sort of letter you might write if you wanted to book a hotel room in Spain. Read *A propósito* and then fill in the gaps.

Sr Director,
Hotel Miguel Ricardo,
Plaza de Santa Catalina,
Barriada de Judit,
Castilclaro,
Cádiz
SPAIN   Londres, . . . 25 . . . *(March)* de 1978

....:

  Unos amigos nos han recomendado su hotel para pasar *(our holidays)*, así que *(I am writing to you)* para reservar *(rooms)* para las dos semanas últimas *(of the month of August)*.

  (We are travelling) en coche, pero *(we are going to arrive)* por la tarde del día 15. Viajo con *(my wife and our two children)*. Quisiera reservar *(two rooms with bath)* y con pensión completa.

  Le agradecería me comunicara lo antes posible que las dos habitaciones están reservadas *(for us)*.

  En espera de su respuesta,

....,

(signature) (J.G. Wintergreen)

Key to exercises

Chapter 1

1   ¿Tiene una lista de hoteles?
¿Tiene un mapa de España?
¿Tiene un plano de Barcelona?
¿Tiene un horario de trenes?
¿Tiene un folleto de datos informativos?

2   Buenos días.   Por favor, ¿hay una cafetería por aquí?
¿Hay un banco por aquí?
¿Y hay un hotel por aquí?   Muchas gracias.   Adiós.

3   Buenos días.   ¿Tiene una lista de hoteles?
¿Tiene un plano de Cuenca?
¿Tiene también un mapa de la provincia?   Muchas gracias.
Adiós, buenos días.

4   1–e) 2–d) 3–a) 4–b) 5–f) 6–c).

5   1 Buenos días 2 de nada 3 señora 4 por favor 5 muchas gracias
6 adiós 7 señorita 8 dígame

Chapter 2

1   Por favor, ¿dónde está correos?   Por favor, ¿dónde está el bar 'Boni'?
Por favor, ¿dónde está el Banco Hispano Americano?   ¿Dónde está el
restaurante 'Los Claveles', por favor?   ¿Dónde está el cine 'España', por
favor?   ¿Hay una farmacia por aquí, por favor?   ¿Y dónde está?
1–c) 2–d) 3–f) 4–a) 5–e) 6–b) 7–g)

2   1 enfrente 2 izquierda 3 cerca 4 está 5 un 6 derecha 7 Suba
8 después 9 siga 10H de 10V dónde 11 aquí 12 final 13 la
14 el.

3   1–b) 2–c) 3–c) 4–b) 5–c) 6–b) 7 a)–sí b)–no c)–sí d)–sí e)–no
f)–sí

Chapter 3

1   Cinco kilos de patatas; un paquete de mantequilla; una botella de
vinagre; dos barras de pan; una lata de anchoas; una caia de cerillas; cien
gramos de jamón york.

2 Buenos días. ¿Tiene tomates? Un kilo. Seis huevos. Un paquete de mantequilla. ¿Tiene sardinas? ¿Cuánto vale la grande? Pues, dos latas grandes, por favor. Una botella de vino blanco. Una barra de pan. De cuarto. ¿Cuánto es todo? ¿Tiene manzanas? ¿Cuánto cuestan? Pues, medio kilo. No, nada más. ¿Cuánto es? Adiós, buenos días.

3 Buenos días. ¿Cuánto vale este plato? ¿Y éste? Quiero estos dos. ¿Cuánto es? ¿Hay un estanco por aquí? Muchas gracias. Adiós.

4 Buenos días. Quiero un sello para Inglaterra. Para carta. Sí, una caja de cerillas. ¿Cuánto es todo? Muchas gracias. Adiós.

5 Carne: en una carnicería; uvas: en una frutería; pan: en una panadería; pescado: en una pescadería; cerillas: en un estanco; queso: en una tienda de comestibles; aspirinas: en una farmacia; pasteles: en una pastelería.

Chapter 4

1 7–h) 1–d) 3–c) 5–a) 8–f) 6–g) 4–b) 2–e)

2 (i) ¿Tiene una habitación? Sí, una doble. Para dos noches. Sí, con baño. (ii) ¿Tiene una habitación? Para una persona. Para siete noches (una semana). Sin baño. (iii) ¿Tiene habitaciones? Una doble y una individual. Con baño. Para tres noches. (iv) ¿Tiene habitaciones dobles? Dos con baño. Para cuatro noches. (v) ¿Tiene habitaciones? Dos dobles y una individual. No, sin baño. Para una noche.

3 Lo siento, tengo solamente una habitación doble.
La habitación doble con desayuno son mil cinco pesetas.
¿Para cuántas noches?
¿Me deja su pasaporte, por favor?
¿Me quiere firmar aquí?
La habitación ciento una.
Sí, la habitación tiene baño.

Chapter 5

1 Por favor, ¿hay un banco por aquí?
aquí; allí; tres; mano; enfrente; están.

2 1 fotos 2 Sevilla 3 esta 4 lista 5 botella 6H hora 6V hoteles 7 estanco 8V doble 8H dónde 9 dolor 10 plano 11 sellos 12 películas 13 algo.

3   a) ¿Dónde están las Casas Colgadas? b) ¿Tiene un plano de Barcelona? c) ¿Está lejos el Museo de Arte Abstracto? d) ¿Cuánto vale/cuesta la lata grande? e) ¿Hay un buzón por aquí? f) ¿Tiene hora? g) ¿Dónde está correos? h) ¿Tiene cuatro como éstos? i) ¿Tiene una habitación? j) ¿Tiene algo para el catarro? k) ¿Tiene baño la habitación? l) ¿Cuánto cuesta una habitación doble?

4   ¿Hay un parador en Alicante? ¿Dónde está Jávea? ¿El Parador está cerca del mar? ¿Tiene piscina? Quiero tres habitaciones. Una (habitación) doble con baño, dos individuales sin baño. Muy bien, todas con baño. Para cuatro noches. ¿Tienen aire acondicionado las habitaciones? ¿Tienen teléfono? ¿Hay un garaje en el Parador? ¿Cuánto cuestan las habitaciones?

5   Hay . . . un vaso de vino. Tinto. Un periódico. Español. Una carta. Con sello. Dos tazas. Con asa. Uvas. Blancas. Sí, (una caja de) cerillas. Un paquete de cigarrillos, tres huevos y un plano de Cuenca.

Chapter 6

1   No key

2   a) ¿Qué hay de primero? a) Para mí un gazpacho andaluz. b) Yo (quiero) un gazpacho también. b) ¿Qué hay? a) Yo (quiero) chuletas de cordero. b) Para mí un filete de ternera. a) Para mí, sí, con patatas. b) Para mí sin patatas. a) Una botella de vino blanco. b) Y una botella de agua mineral. b) No, sin gas.

3   Juan had a beer, 1 soft drink, 1 breakfast, 1 wine, 1 cigar – total 264 pesetas. Pedro had 1 beer, 1 whiskey, 1 soft drink, 1 breakfast, 1 wine, 1 cigar, 1 pkt cigarettes *(negros)* – total 462 pesetas. José had a whiskey, 1 breakfast, 1 wine, 1 pkt cigarettes *(negros)* – total 338 pesetas. You had 1 beer, 1 whiskey, 1 soft drink, 1 breakfast – total 327 pesetas.

4   sopa de cebolla; tortilla de patatas; steak a la pimienta; merluza con salsa bechamel; yogurt con miel y nueces; melocotón en almíbar; helado de vainilla.

Chapter 7

1   1 A las seis y media de la mañana y a las cuatro y media de la tarde.
2 No, el domingo no hay autobuses para Albacete. 3 Sí, hay uno. 4 A las nueve de la mañana. 5 Cuatro horas y media. 6 A la una y media de la tarde. 7 A las ocho de la mañana. 8 A Minglanilla. 9 A las siete y media de la tarde. 10 A las siete de la mañana. 11 A las tres y media de la tarde. 12 A las cuatro y media de la tarde.

2 a) Un billete para Zaragoza . . . en segunda. . . . ida solamente. ¿Cuánto es? ¿De qué andén sale?. b) Dos billetes de ida y vuelta . . . Aranjuez. . . . en primera. ¿Es un tren rápido? ¿De qué andén sale? c) Un billete de primera clase para Sevilla, ida y vuelta. ¿A qué hora sale . . .? ¿. . . a qué hora llega? ¿Hay un restaurante en el tren? ¿Cuánto es?. d) ¿A qué hora sale . . . Barcelona? ¿Hay un restaurante . . .? ¿A qué hora llega . . .? . . . Dos billetes de segunda, ... ida solamente. ¿Cuánto es?

3 1 . . . Madrid . . . Madrid a las diez quince. 2 ¿A qué hora llega a Jaén . . .? El autocar de Marbella llega a Jaén a las siete. 3 ¿A qué hora llega a Sevilla . . .? El avión de Tenerife llega a Sevilla a las doce cincuenta y cinco. 4 ¿A qué hora llega a Palma . . .? El barco de Valencia llega a Palma a las nueve treinta. 5 . . . Granada . . . Granada a las seis y diez. 6 ¿A qué hora sale . . . Benidorm . . . El autocar para Murcia sale de Benidorm a las dieciséis cuarenta y cinco. 7 ¿A qué hora sale . . . Gerona . . . El avión para Londres sale de Gerona a las dos quince. 8 ¿A qué hora sale . . . Santander . . . El barco de Santander sale para Vigo a las veinte treinta.

4 ¿Cómo se llega/Para ir a Salamanca, por favor? Por favor, ¿cómo se llega/para ir a Sevilla? ¿Está lejos? ¿Cómo se llega/Para ir a Málaga, por favor? ¿Esta lejos? ¿Cómo se llega/para ir a Madrid, por favor? ¿Cómo se llega para/ir a Cuenca, por favor? Por favor, ¿cómo se llega/para ir a Valencia? ¿Está lejos? ¿Cómo se llega/Para ir a Barcelona, por favor? Por favor, ¿cómo se llega/para ir a Jaca?

   Usted coge la carretera hasta Huesca y allí la N.240 hasta Pamplona y luego la N-I. Está a 249 kilómetros.

NB ¿Cómo se llega a . . . *and* ¿Para ir a . . . are interchangeable.

5 a) El autobús para la Plaza Mayor. b) A Valeria. c) El Talgo para Valencia. d) A Belmonte. e) Al Hostal del Pilar. f) A Madrid.

Chapter 8

1 ¿Dónde se puede jugar al fútbol? . . . en el Estadio Municipal. ¿Dónde se puede comprar gasolina? . . . en una gasolinera. ¿Dónde se puede comer? . . . en un restaurante. ¿Dónde se puede lavar la ropa? . . . en una lavandería. ¿Dónde se puede comprar un billete de avión? . . . en una agencia de viajes. ¿Dónde se puede cambiar moneda extranjera? . . . en un banco. ¿Dónde se puede ver pintura moderna? . . . en el Museo de Arte Abstracto. ¿Dónde se puede aparcar? . . . en un parking.

2 1 Sí 2 No 3 Sí 4 Sí 5 No 6 Sí 7 Sí 8 No 9 No

3 a) ¿Puedo dejar el coche aquí? ¿Está reparado el neumático? ¿Se puede reparar este neumático? ¿Me pueden lavar el coche? ¿Me pueden mirar el aceite también? b) ¿Se puede telefonear a Newcastle desde la Telefónica? ¿Se puede cambiar moneda extranjera aquí? ¿Se puede coger un autobús hasta la playa? ¿Cuándo se puede visitar la catedral? ¿A qué hora/Cuándo se puede comer en el restaurante?

4 a) puede; una. b) reparar; tienda. c) estos/los; volver; hora.

5 a)–5 b)–3 c)–3 and 6 d)–1 e)–4 f)–2

Chapter 9

1 Buenos días. Quisiera hablar con el señor Romero.   Sí, (tengo cita con él) a las nueve y media.   De parte de la señora Vila.   ¿Dónde está el despacho del señor Romero?   Muchas gracias.

2 a) cambiar (banco); b) volver (agencia de viajes); c) alquilar (hotel *or* agencia de viajes *or* garaje); d) mirar (garaje); e) limpiar (lavandería-tintorería); f) coger (calle); g) firmar (banco); h) venir (garaje); i) lavar (lavandería-tintorería); j) reservar (agencia de viajes); k) cambiar (banco); l) aparcar (calle); m) planchar (lavandería-tintorería) n) ir (agencia de viajes); o) recoger (garaje); p) dejar (hotel); q) hablar (oficina).

3 ¿A qué hora llega a Ibiza el (vuelo) de la mañana?   Yo prefiero el de la mañana. Hay dos vuelos. Uno sale a las once menos diez de la mañana y el otro a las ocho y veinte de la tarde.   Sí, de acuerdo.   Sí. ¿Qué número es?   Por favor, quisiera hablar con el Sr Rodrigo.   De parte de . . . (your name) Buenos días. Quisiera reservar dos billetes de avión para Ibiza. Sí, ida y vuelta.   El miércoles, a las nueve y media de la mañana.   El domingo a las ocho y veinte de la tarde.   En turista.   Jaime Rovira y . . . (your name)   Mañana.   Adiós, hasta mañana.

Chapter 10

1 1 Sí, todos tienen duchas.   2 Los de segunda y tercera categoría.   3 Los de tercera categoría.   4 Todos.   5 No, solamente los de lujo.

2 1 No 2 Sí 3 Sí 4 Sí 5 Sí 6 No a) 221   b) 196   c) 309

3 1 Paco. 2 Artola. 3 Aranda. 4 Golf Hotel. 5 Aranda. 6 Aranda. 7 Meliá Don Pepe. 8 Marbella Club. 9 Paco. 10 Artola.

4 1 No 2 Sí 3 Sí 4 No 5 Sí 6 No 7 Sí 8 Sí 9 No 10 Sí 11 No

5 1 Con los bomberos.   2 Al dos cinco, tres cuatro, nueve siete.   3 Al cero cero ocho.   4 Al dos dos, tres dos, ocho dos.   5 Plymouth.   6 El dos tres, dos dos, nueve seis.   7 Al dos cero cinco, cuatro tres, siete dos. 8 Al cero nueve uno.   9 El cero siete, cuatro cuatro, dos siete dos. 10 El siete tres tres, tres cero, cero cero.   11 El siete cero tres.   12 Al cero cero tres.

Chapter 11

1 ¿Qué se bebe por la mañana? ¿Qué se bebe normalmente antes de comer? ¿Y qué aperitivo se bebe/se toma? ¿Cuándo/A qué hora se come normalmente? ¿Se bebe algo después de comer? ¿A qué hora/ Cuándo se cena?

2 1 Sí 2 No 3 Sí 4 Sí 5 Sí 6 No 7 Sí 8 No.

3 1 Cómo – b) 2 Dónde – c) 3 Qué – e) 4 Cuándo – a)
5 Quién – d) 6 Cuántos – f)

4 Sí, un poco. Sí, hay uno por allí pero no se abre los domingos. No sé. ¿En la estación? (Usted) coge/toma la primera a la izquierda y sigue todo recto hasta el Bullring. No, no es una plaza de toros, es un centro comercial. No, no hay toros (allí), solamente tiendas. Sí, está a (unos) dos minutos. De nada. Adiós.

5 1 They go for a walk or for a drink. 2 Because they want to go to a football match. 3 Asleep, having a siesta. 4 11 o'clock in the morning. 5 Because the climate's so good.

Chapter 12

1 *Pedro Robles:* 1 No, me gusta muy poco. 2 Sí, prefiero el tenis. 3 Me gusta más el tenis. 4 No, no me gusta para nada.
Juana Martínez: 1 Sí, me gusta muchísimo. 2 No, prefiero la natación. 3 Me gusta más el fútbol. 4 Sí, me gusta mucho.
Juan Tenorio: 1 Sí, me gusta mucho. 2 No, prefiero la natación.
3 Me gusta más la natación. 4 Sí, me gusta bastante.

2 (A mí) me gusta más/(yo) prefiero el fútbol. ¿Le gusta la playa? ¿A usted le gusta jugar al tenis? No, no me gusta para nada. ¿(A usted) qué le gusta hacer? (A mí) me gusta cocinar y comer. A mí también me gusta comer pero prefiero ir a un restaurante y después al cine o al teatro. ¿Qué tipo de música le gusta? Me gusta la música clásica. Yo prefiero la música pop. Yo quiero una cerveza. Una cerveza para mí también.

3 1 No. 2 13 per cent. 3 25 per cent. 4 They prefer to watch.
5 4.5 per cent. 6 On working days. 7 He never reads a newspaper.

4 1 Fregar los platos 2 Limpiar las habitaciones 3 Pasar la aspiradora
4 Hacer las camas 5 Planchar los pantalones 6 Barrer la casa
7 Preparar las comidas 8 Lavar la ropa.

Chapter 13

1 ¿Es usted española? ¿Dónde está Torrevieja? ¿Está (usted) de vacaciones? (Yo) soy escocés, estoy de vacaciones también. Sí, viajo solo, es más interesante. Sí, mucho, pero no me gusta mucho esta carretera.

2 a) Escocia (Scotland) b) Gales (Wales) c) Portugal d) España.

3 Air hostess – d), e), j) Policeman – c), f), k) Shepherd – b), g), l) Lorry driver – a), h), i).

4 1 150. 2 She doesn't like working at weekends. 3 Fish and shellfish. 4 Because he has no boss giving him orders. 5 The policeman. 6 Because the hours are too long, it's very badly paid, and he detests animals.

5 a) ¿Cómo se llama (usted)? b) ¿De dónde es (usted)? c) ¿Está (usted) casado? d) ¿Tiene hijos? e) ¿Qué trabajo tiene?/¿Cuál es su trabajo? f) ¿Dónde trabaja? g) ¿Le gusta su trabajo? h) ¿Cuáles son sus horas de trabajo? i) ¿Qué vacaciones tiene? j) ¿Qué hace durante las vacaciones?

Chapter 14

1 1 ¿Cuántos tíos tiene Francisco? Tiene tres, el tío Pepe, la tía María y el marido de la tía María. 2 ¿Cuántos años/Qué edad tienen los abuelos de Francisco? Él tiene sesenta y nueve años y ella tiene sesenta y seis años. 3 ¿Pepe está casado?/¿Está casado Pepe? No, es soltero. 4 ¿Cuántos nietos tienen José y María Remedios? José y María Remedios tienen seis nietos. 5 ¿Francisco tiene hermanos? No, no tiene hermanos.

2 a)–6 b)–1 c)–4 d)–5 e)–3 f)–7 g)–2.

3 ¿De dónde es usted? ¿Entonces es andaluz? ¿Trabajan muchos andaluces aquí en la capital? ¿Qué tipo de trabajo hacen? ¿Qué trabajo hace usted? ¿Es un restaurante andaluz? ¿Qué tipo de comida prepara? No, no me gusta el pulpo. Muchas/Muchísimas gracias, pero . . .

4 1 In the 5–9 age group. 2 'Geyperman' has soldier's outfits, from different countries. 3 'Big Jim' is an adventurer type – a jungle explorer. 4 The older boys. 5 Because they are getting a bit more grown-up. *(mujercitas – lit. little women)* 6 They like drawing, painting and reading novels.

Chapter 15

1 Sí, son las dos.   No gracias, no fumo.   No, no tengo fuego.   No, soy de Pontypridd.   Está en Gales.   No, soy galés.   Estoy de vacaciones. Me gusta mucho Cuenca.   No, trabajo en Londres. Soy barman.   Trabajo en un pub. Comienzo a las once de la mañana y trabajo hasta las tres, y por la tarde trabajo desde las cinco y media hasta las once – excepto (los) domingos.   Sí, es diferente en Inglaterra.   No se puede beber en un pub después de las once.

2 1 No   2 No   3 No   4 No   5 Sí   6 Sí   7 Sí

3 *Está* casada y no *tiene* hijos. *Vive* en un piso viejo en un barrio céntrico de Madrid. *Su* marido es ingeniero y *ella es* estudiante en la Facultad de Filosofía y Letras de la Universidad de Madrid. *Estudia* todos los días, y por las tardes *trabaja* en un bar. No *tienen* mucho dinero pero *les* gusta ir al cine de vez en cuando. A *su* marido le gusta mucho cocinar, *ella prefiere* comer fuera. No *le* gusta mucho la comida que él hace.

4 1 importación   2 exportación   3 inglés   4 buena   5 se   6 viernes   7 horario   8 salario   9 María.

5 3   2   2   3   3   1   2   4   4

Chapter 16

1 Buenas tardes.   Hacemos una encuesta sobre los españoles y su trabajo. ¿Cómo se llama usted?   ¿Dónde trabaja?   ¿En el cine?   Muy interesante. ¿Cómo pasa (usted) un día normal?   ¿A qué hora se levanta?   ¿Desayuna usted?   Solamente una naranja. ¿Qué bebe?   ¿Por qué? ¿No le gusta el café?   Y después de desayunar, ¿qué hace?   ¿Qué tipo de ejercicios?   ¿A qué hora va al estudio?   ¿Pero no es actriz?

2 noches; canciones; música; soy; pueblo; radio; mi; nuestros; Londres; años; tiene; marido; trabaja; acostamos; puedo.

3 *Salimos* de casa a las siete y media y a veces *tomamos* el Metro. *Trabajamos* en un instituto al otro lado de la ciudad y el viaje es bastante pesado. A veces *nos levantamos* tarde y *vamos* en taxi. *Compramos* el periódico y lo *leemos* mientras *desayunamos* café con churros en la cafetería que hay junto al instituto. A veces *encontramos* a *nuestros* amigos y *hablamos* con ellos de las noticias del día antes de empezar la clase.

4 1–c)   2–d)   3–g)   4–a)   5–b)   6–e)   7–f)

5 1 She does the shopping.
2 No, only sometimes *(unas veces)*.
3 Because she can't see much with her left eye.
4 She sits for a while in the square to see what's going on.
5 Because she says *cenamos* (we have dinner).
6 About 11.30.

Chapter 17

1   1–c) 2–d) 3–b) 4–c) 5–a) 6–d) 7–b)

2   es; y; le; todo; invierno; hay; turistas; que; porque; dan.

3   Bueno, los ministros son muy jóvenes.   Bueno, depende . . .   Es terrible,
pero es igual en Inglaterra.   No, no estoy seguro/segura.   Es muy caro.
Yo pienso que mucha gente no puede trabajar porque no hay trabajo.
Pero yo soy estudiante y (yo) trabajo mucho.   ¿Dónde va a pasar las
vacaciones este año?

4   1 He is noble and open.   2 They are pretty.   3 Catalonia and Galicia.
4 Differences of character – that is, racial and historical differences.
5 In general yes, though there are exceptions.

Chapter 18

1   1 *¿Puedes* cambiar un billete de cien?   2 ¿A qué hora *vas* a *levantarte?*
3 *¿Tienes* hora, por favor?   4 ¿Cuánto *quieres?*   5 ¿Por qué no *vienes*
conmigo?   6 ¿Cómo *te llamas?*   7 ¿Qué *haces* aquí?   8 ¿Es éste *tu* coche?

2   *Acepta* – 2 4 8 9   *Rehusa* – 1 3 5 6 7 10 11

3   1 Sí, lo tengo.   2 Sí, la tengo.   3 Sí, lo tengo.   4 Sí, los tengo.   5 Sí,
la tengo.   6 Sí, las tengo.   7 Sí, lo tengo.   8 Sí, lo tengo.

4   1–d) 2–g) 3–c) 4–b) 5–h) 6–a) 7–e) 8–f)

5   Sí, son las dos.   No, soy irlandesa.   Voy a Barcelona mañana.   No, no lo
conozco.   No, lo siento pero no puedo.   Sí, claro, pero tengo que esperar
a mi hermana.   No tengo ganas de ir a la playa – no sé nadar.   No
gracias, voy a jugar al tenis con mi hermana.

Chapter 19

1   1–b) 2–c) 3–e) 4–a) 5–d)

2   No he hecho mucho.   Sí, he ido de compras.   He ido al supermercado en
la plaza.   He comprado algo para la cena – fruta, huevos y jamón.   A
propósito, Juan ha telefoneado.   Quiere cenar aquí esta tarde/noche.

3   Gracias, pero he comido bastante.   No, no lo he probado nunca.   Sí, lo
hemos visitado esta mañana.   No, ha sido un viaje terrible.   Lo he
comprado en Teruel.   Sí, me ha gustado mucho.   No, no lo he visto
todavía.

4 a) ¿Qué has hecho por la mañana? He telefoneado al electricista, he ido al médico, y he enviado un telegrama a Juana. ¿Qué has hecho después de sacar las entradas para el teatro? He recogido el traje de la tintorería. ¿Has hecho la sangría? Sí, la he hecho. (or: Sí, he hecho la sangría.)

b) ¿Qué (te) ha dicho el electricista? ¿Cuántas entradas has sacado para el teatro? ¿Está lejos la tintorería? ¿Cuánto ha costado enviar el telegrama a Londres?

5 1 Yes, because she describes it as *fabulosa* (fabulous, wonderful). 2 The difficulties experienced by Cubans who want to leave Cuba. 3 She is 16. 4 She has never been there. 5 Because she has friends who have lived in Cuba who have not found any difficulties in leaving the country. 6 Cuban.

Chapter 20

1 1 un; uno 2 está; al 3 han; kilo 4 para; tenemos 5 lata; la 6 van; Para; un 7 llega; que 8 visitar; y 9 en; gusta 10 Está; ¿Por qué? 11 se; este; Lo 12 mí; española; la 13 es; Trabajo 14 Cómo; bajo; muy 15 oeste; España 16 a; a 17 Cree; esto; porque 18 quieres; de 19 Has visto; han comprado; la 20 ha; sí.

2 1–B 2–G 3–D 4–F 5–E 6–A 7–C

3 ¿Puedo hablar con el señor Gallegos, por favor? De parte del señor/de la señora/de la señorita . . . (your name). ¿No ha recibido mi carta? Bueno, ¿a qué hora va a llegar a la oficina? ¿Puedo telefonearle a casa? Sí, es bastante importante. ¿Puede repetir, por favor? Gracias. Adiós. ¿Está el señor Gallegos? ¿A qué hora ha salido? Gracias. Adiós.

4 Answer to exercise 4 is on the opposite page

4 Sr Director,
Hotel Miguel Ricardo,
Plaza de Santa Catalina,
Barriada de Judit,
Castilclaro,
Cádiz,
SPAIN   Londres, *el 25 de marzo* de 1978

Muy señor mío:

Unos amigos nos han recomendado su hotel para pasar *nuestras vacaciones*, así que *le escribo* para reservar *habitaciones* para las dos semanas últimas *del mes de agosto*.

Viajamos en coche, pero *vamos a llegar* por la tarde del día 15. Viajo con *mi mujer y nuestros dos hijos*. Quisiera reservar *dos habitaciones con baño* y con pensión completa.

Le agradecería me comunicara lo antes posible que las dos habitaciones están reservadas *para nosotros*.

En espera de su respuesta,

Atentamente le saluda,

J. G. Wintergreen

(J. G. Wintergreen)

Cardinal numbers:

0 cero	26 veintiséis	101 ciento uno/una*
1 uno/una*	27 veintisiete	103 ciento tres
2 dos	28 veintiocho	110 ciento diez
3 tres	29 veintinueve	123 ciento veintitrés
4 cuatro	30 treinta	142 ciento cuarenta y dos
5 cinco	31 treinta y uno,–a*	150 ciento cincuenta
6 seis	32 treinta y dos	165 ciento sesenta y cinco
7 siete	33 treinta y tres	176 ciento setenta y seis
8 ocho	34 treinta y cuatro	188 ciento ochenta y ocho
9 nueve	35 treinta y cinco	200 doscientos,–as
10 diez	36 treinta y seis	300 trescientos,–as
11 once	37 treinta y siete	400 cuatrocientos,–as
12 doce	38 treinta y ocho	500 quinientos,–as
13 trece	39 treinta y nueve	600 seiscientos,–as
14 catorce	40 cuarenta	700 setecientos,–as
15 quince	50 cincuenta	800 ochocientos,–as
16 dieciséis	60 sesenta	900 novecientos,–as
17 diecisiete	70 setenta	1.000 mil
18 dieciocho	80 ochenta	2.000 dos mil
19 diecinueve	90 noventa	3.000 tres mil
20 veinte	100 ~~ciento~~ (cien)*	4.000 cuatro mil, etc.
21 veintiuno,–a*		
22 veintidós	1.000.000 un millón	
23 veintitrés	2.000.000 dos millones	
24 veinticuatro	tres millones de habitantes – 3,000,000 inhabitants	
25 veinticinco	1978 mil novecientos setenta y ocho	

Note

*1 *uno* becomes *un* and *ciento* becomes *cien* when they come before a noun, e.g.

      un banco   veintiún días   cien gramos

2 The words for 1 and 200, 300, etc., have masculine and feminine forms e.g.

      un libro   una peseta
      doscientos libros   doscientas pesetas

3 Spaniards write

      2,5   where we write 2.5   (two point five)
      2.000 where we write 2,000 (two thousand), etc.

Ordinal adjectives:

1st *primero,–a   1°/1ª
2nd segundo,–a   2°/2ª
3rd *tercero,–a   3°/3ª
4th cuarto,–a   4°/4ª
5th quinto,–a   5°/5ª
6th sexto,–a   6°/6ª
last último,–a

*These change to *primer* and *tercer* before a masculine singular sound

Los días de la semana

lunes	Monday
martes	Tuesday
miércoles	Wednesday
jueves	Thursday
viernes	Friday
sábado	Saturday
domingo	Sunday

Note: In the plural, *sábado* and *domingo* add *–s*; the others don't change.

Los meses del año

enero	January
febrero	February
marzo	March
abril	April
mayo	May
junio	June
julio	July
agosto	August
septiembre	September
octubre	October
noviembre	November
diciembre	December

Note: Spanish names for days and months are not written with a capital letter.

Las estaciones del año

la primavera	spring	el otoño	autumn
el verano	summer	el invierno	winter

PRONUNCIATION GUIDE

The Spanish alphabet

There are three extra consonants in Spanish – *ch, ll* and *ñ*. These are counted as separate letters in the glossary (and in dictionaries) and come after *c, l* and *n* in the alphabet.

There is no *w*, although this does occur in some words borrowed from other languages, e.g. *whisky*. (But note that you will also come across *güisqui*, which is now the official spelling.)

Pronunciation

This is a brief guide to the main elements of Spanish pronunciation for you to refer to. Remember, though, that the English equivalents are only approximate. The surest way to acquire a good accent is to follow and to imitate the native speakers in the programmes. The Spanish examples are taken mostly from programmes 1–3.

Vowels

a	like the *u* in southern English must	nada	bolsa
e	like the *e* in edit	tres	Pedro
i	like the *i* in machine	lista	mire
o	like the *o* in lobster	folleto	dos
u	like the *oo* in food	una	muchas
	BUT		
i	before another vowel, like the *y* in yes	tiene	quiere
u	before another vowel, like the *w* in win	agua	huevo
	not pronounced at all, when after **q**	que	quiere
	or in the combination **gue** or **gui**	sigue	guitarra

Consonants

Most consonants are pronounced like their English counterparts. There are, however, some exceptions.

b & **v**	sound the same, like the *b* in bank	banco	vale
c	usually, like the *c* in cat *but*	estanco	Cuenca
c	before **e** or **i**, like the *th* in thick	centro	gracias
ch	like the *ch* in church	chica	muchas
d	at the end of a word, hardly pronounced at all	usted	ciudad
g	usually, like the *g* in great *but*	grande	dígame
g	before **e** or **i**, like a very strong *h*, or like the Scottish *ch* in loch	Generalife	Giralda
j	also like a strong *h* or Scottish *ch*	lejos	caja
h	is not pronounced at all	hay	hotel
ll	like the *lli* in battalion	calle	botella
ñ	like the *ni* in onion	señorita	niñas
qu	like the *c* in cat	qué	aquí
r & **rr**	strongly rolled, like the Scottish *rr* in porridge	recto	correos
y	like the *y* in yes *but* the word **y** (and), like the *i* in machine	hay	mayor
z	like the *th* in thick	plaza	izquierda
Note:	When they come between two vowels, **b**, **v** and **r** are pronounced much less strongly;	suba claro	provincia señora
	and **d** is like *th* in this	nada	todos

Stress

Usually

1 Words ending in a vowel or *n* or *s* have the stress on the last syllable but one

plano   seño**ri**ta
cuestan   toma**te**s

2 Words ending in a consonant (except *n* or *s*) have the stress on the last syllable

cate**dral**   us**ted**
mu**jer**   mine**ral**

Accents

1 Words that don't follow the stress pattern above have a written accent to show where the stress falls

tamb**ién**   a**quí**
foto**grá**fica   **dí**game

2 A written accent is also used to indicate a difference in meaning: or to show you are asking a question:

si (if)   **sí** (yes)
donde (where)   **¿dónde?** (where?)

Spelling changes

When verbs and nouns change their ending, e.g. for singular and plural, sometimes the spelling is also changed in order to keep the same sound,

apar**qu**e	from	apar**c**ar
co**j**o	from	co**g**er
lápi**c**es	plural of	lápi**z**

Glossary

NB The English translations apply to the words as they are used in the texts.

Verbs with *(ue)*, *(ie)* or *(i)* after them follow patterns which are shown on p. 203. Other irregular verbs, marked *, are also shown on p. 202–204.

Adjectives which change in the feminine singular are indicated, e.g.: *bueno,–a*.

Abbreviations: f. – feminine; inf. – infinitive; adv. – adverb; lit. – literally.

Remember that *ch, ll* and *ñ* are counted as separate letters, following *c, l* and *n* respectively.

A

a   *to, at, on*; a las . . . *at . . . (o'clock)*
abajo   *below*
abierto,–a   *open*
el abrazo   *hug*
el abrigo   *coat*
abrir*   *to open*
absolutamente   *absolutely*
la abuela   *grandmother*
el abuelo   *grandfather*
los abuelos   *grandparents*
acabar de+inf.   *to have just*
acampar   *to camp*
el accesorio   *accessory*
el accidente   *accident*
la acción   *action*
el aceite   *oil*; el aceite de oliva   *olive oil*
la aceituna   *olive*
aceptar   *to accept*
acercarse a   *to approach*
acordarse (ue)   *to remember*
acostarse (ue)   *to go to bed*

la actividad   *activity*
la actriz   *actress*
actualmente   *nowadays*
acuerdo: de acuerdo   *OK, fine; certainly*;   estar de acuerdo   *to agree*
acústico,–a   *acoustic*
adaptarse   *to adapt oneself*
¡adelante!   *come in!*
además (de)   *besides; furthermore*
adiós   *goodbye*
la admisión   *admission*
¿adónde? ¿a dónde?   *where (to)?*
adorar   *to adore*
el aeropuerto   *airport*
afectuoso: con un afectuoso saludo   *with kind regards*
afeitarse   *to shave*
el aficionado   *fan*
la agencia de viajes   *travel agency*
la aglomeración   *traffic jam*
agradable   *nice, pleasant*
agradecer   *to be grateful*
agradecido,–a le saluda   *yours sincerely*

el agua (f.) *water;* el agua
  corriente *running water;* el
  agua mineral *mineral water*
ahí *there*
ahora *now* ahora mismo *right
  away*
el aire *air;* el aire
  acondicionado *air-
  conditioning;* el aire libre *open
  air*
el ajo *garlic;* al ajillo *with garlic*
la alabanza *praise*
el alajú *honey and almond cake*
el albergue *wayside inn*
el alcohol *alcohol*
el alcohólico *alcoholic*
alegrarse (de) *to be pleased*
alegre *cheerful*
algo *anything; something;* ¿algo
  más? *anything else?*
alguno,–a (algún) *any; some;*
  alguna vez/algunas veces
  sometimes
el alimento *food*
la almeja *clam*
el almíbar *syrup*
almorzar (ue) *to have lunch*
el almuerzo *lunch*
alquilar *to hire*
el alquiler *hire*
alto,–a *high, tall; upper*
la altura *height*
la alubia *(haricot) bean*
allí *there;* por allí *over/along
  there; that way*
el ama (f.) de casa *housewife*
amarillo,–a *yellow*
el ambiente *atmosphere*
ambos,–as *both*
ambulante *travelling*
la amiga/el amigo *friend;* los
  amiguitos *little friends*
la anchoa *anchovy*
Andalucía *Andalusia*
andaluz,–uza *Andalusian*
andar: andando *on foot*
el andén *platform*
el animal *animal*
el anís *anisette*
antes (de) *before;* lo antes
  posible *as soon as possible*

antiguo–,a *old, ancient*
anual *annual*
anular *to cancel*
el año *year;* ¿cuántos años
  tiene?; *how old are/is . . .?*
el aparato *domestic appliance*
el aparcamiento *parking*
aparcar *to park*
aparte de *apart from*
el apellido *surname*
el aperitivo *mid-morning snack;
  aperitive*
apreciar *to appreciate*
aprender *to learn*
aproximadamente *approximately*
aquel,–lla *that*
aquél,–lla *that (one)*
aquellos,–as *those*
aquéllos,–as *those (ones)*
aquí *here;* aquí mismo *right
  here;* por aquí *around here;
  this way*
aragonés,–esa *Aragonese*
el árbol *tree*
arreglar *to repair*
arreglarse *to get ready*
arriba *above; up*
el arroz *rice*
artesano,–a *craftsman/men*
el asa (f.) *handle*
el ascensor *lift*
así *like this, so;* así que *so that*
asistir a *to attend*
el aspecto *aspect*
la aspiradora *vacuum cleaner*
la aspirina *aspirin*
atención a *beware of*
atender a (ie) *to look after*
atentamente le saluda *yours
  faithfully*
la atracción *attraction*
las atracciones *amusements*
atraer *to attract*
atrevido,–a *daring, cheeky*
aumentar *to increase*
aunque *although*
el autobús *bus*
el autocar *coach*
automático,–a *automatic*
el automotor *local train*
el auto-stop *hitch-hiking*

la avenida *avenue*
aventurero,–a *adventurer*
el avión *plane*
ayudar *to help*
el ayuntamiento *town hall*
azul *blue*; azul marino *navy blue*

B

bailar *to dance*
el baile *dance;* ir al baile *to go dancing*
bajar *to go/come down*
bajo,–a *short; lower*
el banco *bank*
el bañador *bathing costume*
el baño *bath*
el bar *bar*
barato,–a *cheap*
el barco *boat*
el barman *barman*
la barra *loaf (long stick type)*
barrer *to sweep*
el barrio *district, suburb*
barroco,–a *baroque*
bastante *fairly, quite a lot*
bastantes *quite a lot*
la basura *rubbish*
beber *to drink;* bebiendo *drinking*
la bebida *drink;* de bebida *to drink*
besar *to kiss*
el beso *kiss*
la biblioteca *library*
bien *(all) right, fine, well;* ir bien *to suit;* más bien *rather;* muy bien *very good/well*
el billete *note; ticket*
blanco,–a *white*
la blusa *blouse*
bohemio,–a *bohemian*
la bolsa *bag*
el bombero *fireman*
bonito,–a *nice, pretty*
el boquerón *anchovy (unsalted)*
la botella *bottle*
el botones *bell-boy*
la boutique *boutique*

el brandy *brandy*
¡bravo! *well done!*
el brazo *arm*
británico,–a *British*
la bruja *witch*
bueno *fine; well*
bueno,–a (buen) *good;* ¡buena suerte! *good luck!;* buenas/ muy buenas *short for 'buenas tardes/noches'*
buscar *to look for*
el buzón *post-box*

C

la caballa *mackerel*
el caballero *gentleman*
el cabaret *night-club*
la cabeza *head*
la cabina telefónica *telephone box*
cada *each, every*
el café *coffee;* el café solo *black coffee*
la cafetería *snack-bar, café*
la caja *box; cash desk*
el cajero *cashier*
la cajita *small box*
los calamares *squid*
la calamidad *disaster*
la calefacción *heating*
el calendario *calendar*
caliente *hot*
el calor *heat;* hace calor *it's hot (weather)*
la calle *street*
la cama *bed*
la cámara fotográfica *camera*
la camarera *room-maid*
el camarero *waiter*
cambiar *to change*
el cambio *change; exchange rate;* en cambio *on the other hand*
el camión *lorry*
la camisa *shirt*
la camiseta *T-shirt*
el campeón *champion*
el camping *campsite*
el campo *country(side)*
el campo de golf *golf course*
el canal *canal*

la canción *song*
  cantar *to sing;* cantando
    singing
la cantidad *number*
la capital *capital*
el carácter *character*
la caravana *caravan*
la carga *load*
  carísimo,–a *very expensive*
la carne *meat*
el carnet de conducir *driving licence*
el carnet de identidad *identity card*
la carnicería *butcher's*
el carnicero *butcher*
  caro,–a *expensive*
la carretera *(main) road*
la carta *letter*
la casa *house, home;* a casa
    home; en casa *at home;* el
    vino de la casa *house wine;* la
    casa de huéspedes *guest house*
  casado,–a *married*
  casarse *to get married*
la cascada *waterfall*
  casi *almost*
el caso *case;* caso urgente
    emergency
  castellano,–a *Castilian*
  Castilla la Nueva *New Castile*
  catalán,–ana *Catalan, Catalonian*
  Cataluña *Catalonia*
el catarro *catarrh*
la catedral *cathedral*
la categoría *category*
  causa: a causa de *because of*
la cebolla *onion*
la cena *dinner, supper*
  cenar *to have dinner, supper*
la censura *censorship*
el céntimo *100th part of peseta*
  céntrico,–a *central*
el centro *centre*
la cerámica *pottery*
  cerca (de) *close (to), near(by)*
  cercano,–a *near*
el cerdo *pork*
la cerilla *match*
  cerrado,–a *closed*
  cerrar (ie) *to close*
la cerveza *beer*
el césped *grass*

cien *hundred*
ciento *hundred;* por ciento *per cent*
cierto,–a *certain; true*
el cigarrillo *cigarette*
el cigarro *cigar*
el cine *cinema*
el circuito *tour*
la circulación *(movement of) traffic*
  circular *circular; to circulate*
la cita *appointment*
la ciudad *town, city*
  claro *of course*
la clase *class; kind, sort*
  clásico,–a *classical*
el claxon *horn*
el cliente *customer*
el clima *climate*
  climatizado,–a *heated*
la clínica *clinic*
  cocinar *to cook*
el cocinero *cook*
el cocodrilo *crocodile*
el coche *car; bus;* en coche *by car*
  coger *to pick up, catch, take*
la colección *collection*
el colegio *school*
el color *colour*
el comedor *dining room*
  comenzar (ie) *to start*
  comer *to eat; to have lunch*
  comercial; centro comercial
    shopping centre
el comerciante *trader; shopkeeper*
el comercio *shop*
los comestibles *food; groceries;* la
    tienda de comestibles *grocer's*
la comida *food, meal; lunch;* hacer
    la comida *to prepare the meals*
el comienzo *start*
la comisión *commission*
  como *as; like*
  ¿cómo? *how?; pardon?;* ¿cómo
    es . . .? *what is . . . like?;*
    ¿cómo está(s)? *how are you?;*
    ¿cómo se llama? *what is
    your/his/her name?*
  cómodo,–a *comfortable*
el compañero *friend*
  completo,–a *full*
la compra *shopping;* hacer la
    compra *to do the shopping*

comprar *to buy;* ir de compras/
  irse a comprar *to go out shopping*
comunicar *to inform;* está
  comunicando *it's engaged
  (telephone)*
con *with*
el concierto *concert*
concretamente *exactly; to be
  precise*
concurrido,–a *well attended*
conducir *to drive*
el conductor *driver*
conectar *to connect*
el conejo *rabbit*
la conferencia *(long distance) call*
confundirse *to get confused*
conmigo *with me*
conocer* *to know; to get to know*
el conocimiento *acquaintance*
conquense *from/of Cuenca*
considerar *to consider*
consistir en *to consist of*
contar (ue) *to tell*
el contenido *content*
contento,–a *happy*
contigo *with you*
contra *against*;
contrario: al contrario *on the
  contrary*
controlar *to control*
el coñac *brandy*
la copa *glass; drink*
el cordero *lamb*
correcto,–a *correct*
el correo *mail-train*
correos *post-office*
el cortado *coffee with dash of milk*
la cosa *thing*
coser *to sew*
la costa *coast*
costar (ue) *to cost*
la costumbre *custom*
creer *to believe, think;* creo que
  sí *I think so*
la crema bronceadora *sun-tan lotion*
el creyente *believer*
criado,–a *bred*
el cruce *crossing*
cruzar *to cross*
cuadro: de cuadros *check*
¿cuál? *which?; what?*

cualquier,–era *any*
cuando *when;* de vez en
  cuando *from time to time*
¿cuándo? *when?*
¿cuánto? *how much?; how long?*
¿cuántos,–as? *how many?;*
  ¿cuántos años tiene? *how old
  are/is . . .?*
el cuarto *quarter;* menos cuarto
  quarter to; y cuarto *quarter
  past*
cubano,–a *Cuban*
la cuchilla *razor blade*
el cuenco *small round pot*
la cuenta *bill;* por mi cuenta *for
  myself*
el cuento *story*
la cuesta *cost*
¡cuidado! *look out!, be careful!*
cuidar de *to look after*
la culpa *fault*
cultural *cultural*
el curso *course*
la curva *bend*

CH

la chaqueta *jacket*
charlar *to chat*
chato,–a *'mate'*
el cheque *cheque;* el cheque de
  viaje *traveller's cheque*
la chequera *cheque-folder/book*
la chica *girl*
el chico *boy*
el chocolate *(hot) chocolate*
el chorizo *type of sausage*
la chuleta *chop, cutlet*
el churro *type of fritter*

D

dar* *to give;* dar miedo a *to
  frighten;* darse un paseo *to go
  for a walk*
los datos: los datos informativos
  information
de *of, from*

debido,–a *due*
débil *weak*
decididamente *definitely*
decir (i)* *to say; to tell;* es decir *that is (to say);* querer decir *to mean*
dejar *to leave*
el delfín *dolphin*
delgado,–a *slim*
demás: los/las demás *the rest*
demasiado *too (much)*
deme *I'll have* (lit. *give me*)
el demonio *devil*
la demora *delay*
el dentista *dentist*
dentro (de) *in, within*
el departamento *department*
depender (de) *to depend (on)*
la dependienta/el dependiente *shop assistant*
el deporte *sport*
derecha *right;* a la derecha *on the right;* a mano derecha *on the right(-hand side)*
desafortunadamente *unfortunately*
el desastre *disaster*
desayunar *to have breakfast*
el desayuno *breakfast*
descansar *to rest*
el descanso *rest*
el descuento *discount*
desde *from;* desde luego *of course*
desear *to want;* ¿qué desea(n)? *what do you want/would you like?*
el desempleo *unemployment*
desnudarse *to strip*
el desodorante *deodorant*
despacio *slowly*
el despacho *office*
despedirse de (i) *to take leave of*
después (de) *after(wards); then*
el destape *permissiveness* (lit. *uncovering*)
el destino *destination*
el desvío *turning*
el detergente *detergent*
detestar *to detest*
detrás (de) *behind*
la devaluación *devaluation*

el día *day;* al día *per day;* buenos días *good morning;* el día del santo *saint's day;* el día festivo *(public) holiday;* el día laborable *working day;* hoy (en) día *nowadays;* quince días *fortnight*
el diablo *devil*
la diapositiva *slide*
diariamente *every day*
diario,–a *daily*
dibujar *to draw*
diciembre *December*
la diferencia *difference*
diferente *different*
difícil *difficult*
la dificultad *difficulty*
dígame *tell me; can I help you?; hello (on telephone)*
diluido,–a *diluted, watery*
el dinero *money*
Dios *God*
la dirección *direction; address*
directamente *directly*
el director *director*
dirigir *to steer*
la disciplina *discipline*
la discoteca *discothèque*
la disculpa *excuse*
la distancia *distance*
distinto,–a *different*
la distracción *amusement*
la diversidad *variety*
diversos,–as *varied*
divertirse (ie) *to enjoy oneself*
divorciado,–a *divorced*
doblar *to turn*
doble *double*
la docena *dozen*
el doctor *doctor*
el documento *document, identity card*
el dolor de cabeza *headache*
doméstico,–a *domestic*
el domingo *Sunday*
donde *where*
¿dónde? *where?*
dormir (ue) *to sleep*
el dragón *dragon*
la droguería *toiletries and hardware shop*
la ducha *shower*

ducharse *to have a shower*
durante *during, for;* durante
  todo el año *all the year round*
durar *to last*
duro,–a *hard*
el duro *five-peseta coin*

E

económicamente *economically*
económico,–a *economical,*
  inexpensive
la edad *age;* ¿qué edad
  tiene(n)? *how old is/are . . .?*
el edificio *building*
Edimburgo *Edinburgh*
la educadora *teacher*
el ejemplo *example;* por ejemplo
  for example
el ejercicio *exercise*
  el *the*
  él *he; him*
la elección *election*
el electricista *electrician*
  eléctrico,–a *electric(al)*
el elefante *elephant*
  elegante *elegant*
  ella *she; her; it*
  ellos,–as *they; them*
  empezar (ie) *to begin*
el empleado *clerk, employee*
  emplear *to use*
la empresa *company*
  en *in; on*
el enanito *dwarf*
  encantado,–a *delighted;* la
    Ciudad Encantada *the*
    Enchanted City
  encantar *to delight;* me
    encanta . . . *I love . . .*
el encargado *man in charge*
  encontrado,–a *found*
  encontrar *to find; to meet*
  encontrarse *to be found*
la encuesta *survey*
  enchufado,–a *switched on*
  enfrente (de) *opposite*
la ensalada *salad*
  enseñar *to teach*
  entonces *so; then*

la entrada *entrance; ticket*
los entremeses *hors d'oeuvres*
  entre *between*
el entretenimiento *amusement*
  enviar *to send*
  envolver (ue) *to wrap up*
el equipaje *luggage*
el equipo *equipment*
la equivalencia *equivalence*
la escena *stage*
  escocés,–esa *Scottish*
  Escocia *Scotland*
  escribir *to write*
  escrito,–a *written*
  escuchar *to listen to*
la escuela *school*
  ese,–a *that*
  eso *that;* eso es *that's it*
  esos,–as *those*
  España *Spain*
  español,–ola *Spanish; Spaniard*
la especia *spice*
  especial *special*
la especialidad *speciality*
  especialmente *especially*
el espectáculo *entertainment, show*
  espera: en espera de *awaiting*
  esperar *to wait (for)*
las espinacas *spinach*
  espontáneo,–a *spontaneous*
la esposa *wife*
  esquiar *to ski*
la estación *station; season;* la
    estación de servicio *service*
    station
el estacionamiento *parking*
el estadio *stadium*
el estado *state*
el estanco *tobacconist's*
  estar* *to be;* ¿cómo está(s)?
    how are you?; estar de
    acuerdo *to agree*
el este *east*
  este–,a *this*
  éste,–a *this (one);* sin más por
    ésta *no more for now*
  estimado,–a . . . *dear . . .*
  esto *this*
  estos,–as *these*
  éstos,–as *these (ones)*
  estrechar *to shake (hands)*

estridente *raucous*
estudiar *to study*
el/la estudiante *student*
el estudio *study; studio;* estudios
    de montes *forestry course/studies*
exactamente *exactly*
exagerar *to exaggerate*
la excavación *excavation*
excelente *excellent*
la excepción *exception;* a
    excepción de *except for*
excepto *except*
excesivo,–a *excessive*
la excusa *excuse*
la exportación *export*
el expreso *express*
extra *large (eggs); 98 octane*
    (petrol) la paga extra *bonus*
extranjero: al extranjero *abroad*
extranjero,–a *foreign*
extremeño,–a *from Extremadura*

F

la fábrica *factory*
fabuloso,–a *fabulous*
facultad: la Facultad de Filosofía
    y Letras *Faculty of Philosophy*
    and Arts
la faena *chore*
la falda *skirt*
la falta *lack*
la fama *reputation*
la familia *family;* la familia
    numerosa *large family*
famoso,–a *famous*
el fantasma *ghost*
la farmacia *chemist's*
favor: por favor *please; excuse me*
favorecido,–a *favoured*
la fecha *date*
la felicidad *happiness;*
    felicidades *best wishes*
feo,–a *ugly*
la feria *fair*
el ferrobús *local train*
el ferrocarril *railway*
festivo,–a: el día festivo *('public)*
    holiday
el fiambre *cold meat*

la ficha *registration form*
la fiesta *(public) holiday; festival;*
    party
el filete *escalope, fillet*
la filología *philology*
el fin *end;* el fin de semana
    weekend; en fin *in fact;* por
    fin *at last*
el final *end;* al final de *at the end*
    of
finalmente *eventually*
firmar *to sign*
el flan *crème caramel*
el folklore *folklore*
folklórico,–a *folk*
el folleto *leaflet*
la fonda *inn*
el fondo *bottom, far end*
la forma *shape; way*
la formación *training*
formal *formal*
formidable *great*
la fórmula *formula*
la foto(grafía) *photo(graph)*
francés,–esa *French*
Francia *France*
la frase *sentence*
fregar *to scrub; to wash (up)*
la fresa *strawberry*
el frigorífico *refrigerator*
el frío *cold;* hace frío *it's cold*
    (weather)
frío,–a *cold*
frito,–a *fried*
la fruta *fruit*
la frutería *fruit shop*
el fuego *light;* ¿tiene fuego? *do*
    you have a light?
fuera (de) *away (from home);*
    out(side)
fuerte *strong*
fuerza: la fuerza de voluntad
    will-power
fumar *to smoke*
funcionar *to work;* no
    funciona *out of order*
el funcionario *official*
fundamentalmente *basically*
el fútbol *football*

G

Gales *Wales*

galés,–esa *Welsh*

gallego,–a *Galician*

la galleta *biscuit*

ganas: tener ganas de+ inf. *to feel like*

el garaje *garage*

el garajista *garage attendant*

el gas *gas;* con gas *fizzy;* sin gas *still*

la gasolina *petrol*

la gasolinera *petrol station*

gastar *to spend*

el gazpacho *gazpacho*

general *general*

generalmente *usually, generally*

la gente *people*

el gerente *manager*

la ginebra *gin*

el ginecólogo *gynaecologist*

gobernar *to govern*

el gobierno *government*

gordo,–a *fat*

gracias *thanks, thank you;* muchas/muchísimas gracias *thank you very much*

el gramo *gram*

Gran Bretaña *Great Britain*

grande (gran) *large; great*

gratuito,–a *free*

el grito *shout, scream*

grueso *thick*

el gruñido *growl*

el grupo *group*

la guardería *nursery (school)* guardería infantil *crèche*

el guardia *policeman*

la guardia: de guardia *on duty;* la Guardia Civil *Civil Guard*

el guisante *pea*

guisar *to cook*

el güisqui *whiskey*

la guitarra *guitar*

gustar: le/te gusta *you like;* les gusta *they like;* me gusta *I like*

el gusto *taste, like;* (con) mucho gusto *it's a pleasure*

H

haber* *to have;* haber de *to have to*

la habitación *room*

el habitante *inhabitant*

habitual *permanent*

hablado,–a *spoken*

hablar *to speak, talk*

hacer* *to do; to make;* hace calor *it's hot (weather);* hace frío *it's cold (weather);* hacer la comida *to prepare the meals;* hacer la compra *to do the shopping*

hacia *towards*

hasta *as far as, until, up to;* hasta luego *see you later;* hasta la vista *so long*

hay *there is, there are;* hay que *you have to;* no hay de qué *you're welcome, don't mention it;* ¿qué hay? *what is there?; what's new?*

el helado *ice-cream*

la hembra *female*

la hermana *sister*

el hermano *brother*

el hielo *ice*

el hígado *liver*

la hija *daughter*

el hijo *son*

los hijos *children*

histórico,–a *historical*

hola *hello*

el hombre *man;* ¡hombre! *good heavens!; you bet!*

el honor *honour*

la hora *hour; time;* ¿a qué hora? *what time?;* media hora *half (an) hour;* ¿tiene hora? *do you have the time?*

el horario *timetable; (work) schedule*

hospitalario,–a *hospitable*

el hostal *hostel*

el hotel *hotel*

hoy *today;* hoy (en) día *nowadays*

el huevo *egg*

I

la ida *outward journey, one way;* ida y vuelta *round trip, return*
la idea *idea*
el idioma *language*
la iglesia *church*
igual (a) *the same (as)*
la ilusión *dream*
la importación *import*
importante *important*
importar *to matter*
imposible *impossible*
el impuesto *tax*
incluido,–a *included, including*
incluso *even*
la indicación *sign*
el indicador *sign*
indicar *to indicate, suggest*
el indicativo urbano *town code*
el indicativo nacional *national code*
indistinto,–a *not different, the same*
individual *single*
infantil *children's*
el infierno *hell*
la inflación *inflation*
la información *information*
la infracción *offence, infringement*
el ingeniero *engineer;* el ingeniero de montes *forestry expert*
Inglaterra *England*
inglés,–esa *English*
inocente *innocent*
insinuar *to hint*
insistir *to insist*
el instituto *secondary school*
el interés *interest*
la interesada *applicant (f.)*
interesante *interesting*
interesar *to interest*
internacional *international*
intervenir (ie) *to take part*
intolerable *intolerable*
el invierno *winter*
invitar *to invite*
ir* *to go;* ir a+ inf. *to be going to;* ir al baile *to go dancing;* ir bien *to suit;* ir de paseo *to go for a walk*
Irlanda *Ireland*
irlandés,–esa *Irish*

irse *to go out/away;* irse a comprar *to go out shopping;* irse de paseo *to go out for a walk*
las Islas Británicas *British Isles*
italiano,–a *Italian*
izquierdo,–a *left;* a la izquierda *on/to the left;* a mano izquierda *on the left(-hand side)*

J

el jabón *soap*
el jamón *ham;* el jamón serrano *type of country ham;* el jamón york *boiled ham*
el jarabe *syrup*
el jardín *garden;* el jardín de la infancia *kindergarten*
el jefe *boss*
el jerez *sherry;* al jerez *with sherry*
el jersey *jumper*
la jornada *working day;* la jornada intensiva *intensive working day*
la jota *Spanish dance*
joven *young*
la joya *jewel*
jubilado,–a *retired*
la judía verde *green bean*
el jueves *Thursday*
jugar (ue) *to play*
el jugo *juice*
el juguete *toy*
la jungla *jungle*
junio *June*
junto a *next to*
juntos,–as *together*
justo,–a *right*

K

el kilo *kilo*
el kilometraje *kilometrage (like mileage)*
el kilómetro *kilometre*
el kiosko *kiosk*

L

la   *the; it; her*
la labor   *job*
laborable: el día laborable
   working day
laboral   *working*
el lado   *side;*   al lado de   *next to,*
   beside
lamentable   *pitiful*
la lana   *wool*
el langostino   *large Mediterranean*
   prawn
el lápiz   *pencil*
largo,–a   *long*
las   *the; them;*   a las . . .   *at . . .*
   (o'clock);   las que   *those which*
lástima: ¡qué lástima!   *what a*
   shame!
la lata   *tin*
el lavabo   *wash-house, wash-basin*
la lavadora   *washing-machine*
la lavandería   *laundry*
el lavaplatos   *dishwasher*
lavar   *to wash; to do the washing*
lavarse   *to have a wash*
le   *(to) you; (to) him/her/it*
la lectura   *reading*
la leche   *milk;*   la leche
   condensada   *condensed milk*
la lechuga   *lettuce*
leer   *to read*
la lejía   *bleach*
lejos (de)   *far (away/from)*
les   *(to) you; (to) them*
levantarse   *to get up*
la libertad   *freedom*
la libra esterlina   *pound sterling*
libre   *free;*   el aire libre   *open air*
el libro   *book*
el licor   *drink*
ligar   *to chat up*
ligero,–a   *light*
limitar con   *to border on*
el limón   *lemon*
limpiar   *to clean;*   limpiar en
   seco   *to dry-clean*
la limpieza   *cleaning*
la línea   *line*
la lista   *list*
el litro   *litre*

lo   *the, that which; it; him;*   lo
   que   *which, what*
la loción   *after-shave lotion*
lograr   *to reach*
Londres   *London*
el loro   *parrot*
los   *the; them;*   los que   *those*
   which/who
luego   *then, later;*   desde luego
   of course;   hasta luego   *see you*
   later
el lugar   *place*
lujo: de lujo   *de luxe*
el lunes   *Monday*
la luz   *light;*   la luz amarilla   *amber*
   light

LL

la llamada   *call*
llamar   *to call; to phone;*   llamar
   por teléfono   *to phone up*
llamarse   *to be called;*   ¿cómo se
   llama?   *what is your/his/her*
   name?;   ¿cómo se llaman?
   what are your/their names?
la llegada   *arrival*
llegar (a)   *to arrive; to get (to)*
llevar   *to take; to have*
llevarse   *to take*

M

la madre   *mother*
el maestro   *teacher*
el maître   *maître (d'hotel)*
mal   *badly*
malo,–a (mal)   *bad*
Mallorca   *Majorca*
manchego,–a   *of La Mancha*
la mandarina   *tangerine*
manejar   *to work, operate*
manera: de ninguna manera   *not*
   at all
la mano   *hand;*   a mano   *by*
   hand;   a mano
   derecha/izquierda   *on the*
   right/left(-hand side)
la mantequilla   *butter*
la manzana   *apple*

mañana *tomorrow*

la mañana *morning;* de/por la
mañana *in the morning*

el mapa *map*

máquina: a máquina *by machine*

el mar *sea*

maravilloso,–a *marvellous*

la marca *brand, make*

marcar *to dial*

marcharse *to go*

el marido *husband*

marinera: a la marinera *in
tomato and garlic sauce*

el marisco *shell-fish*

marrón *brown*

Marruecos *Morocco*

el martes *Tuesday*

más *more; most; else; plus;* ¿algo
más?/¿alguna cosa más?
anything else?; más bien
rather; más . . . de/más . . .
que *more . . . than;* (poco)
más o menos *more or less*

el masaje *after-shave cream* (lit.
massage)

la matrícula *registration number*

mayor *eldest, older; grown up;* la
mayor parte *majority;* la
Plaza Mayor *Main Square*

la máyoría *majority*

máximo,–a *maximum*

me *(to) me*

el mecánico *mechanic*

mecánico,–a *mechanical*

la mecanografía *typing*

mediano,–a *medium; middle;* de
mediana edad *middle-aged;*

el médico *doctor*

la medida *measurement, size*

medio,–a *half;* media hora
half (an) hour; media
mañana *mid-morning;* y
media *half-past*

el mediodía *mid-day*

los medios *means*

el mejillón *mussel*

mejor *best; better*

el melocotón *peach*

la menestra *thick vegetable stew*

menor *youngest*

menos *less; least; minus;* menos

cuarto *quarter to;* menos . . .
de/menos . . . que *less than;*
(poco) más o menos *more or
less*

el mensaje *message*

el menú *menu;* el menú del día
the day's set meal

el merendero *refreshment stall*

la merienda *(afternoon) tea, snack*

la merluza *hake*

el mes *month*

la mesa *table*

el mesón *inn*

el metro *metre*

el Metro *underground*

mi *my*

mí *me*

miedo: dar miedo a *to frighten*

miel *honey*

mientras (que) *while*

el miércoles *Wednesday*

la milla *mile*

el ministro *minister*

el minuto *minute;* a (unos) . . .
minutos *(about) . . . minutes
away*

mío,–a *mine*

mirar *to look (at); to watch;*
mire *look*

la misa *Mass*

mismo: ahora mismo *right
away;* aquí mismo *right here*

mismo,–a *same*

la mitad *half*

mixto,–a *mixed*

moda: de moda *in fashion*

el modelo *model*

moderno,–a *modern*

el momento *moment;* de
momento *at the moment;* un
momentito/un momento *just a
moment*

la moneda *currency; coins*

el mono *monkey*

la montaña *mountain(s)*

montes: el ingeniero de montes
forestry expert; estudios de
montes *forestry course/studies*

la morcilla *black pudding*

el morteruelo *mixed chopped meat
dish*

el mostrador   *counter*
el motel   *motel*
   muchísimo (adv.)   *a lot, very much*
   muchísimo,–a   *very much, a great deal;*   muchísimas gracias   *thank you very much*
   mucho (adv.)   *much, a lot*
   mucho,–a   *much, a lot of;*   (con) mucho gusto   *it's a pleasure*
   muchos,–as   *many, lots of;*   muchas gracias   *thank you very much*
la muestra   *mark*
la mujer   *woman; wife*
la mujercita   *grown up; "big girl"* (lit. *little woman*)
la multa   *fine*
el mundo   *world;*   todo el mundo   *everyone*
   municipal   *municipal*
el muñeco   *doll*
el museo   *museum*
la música   *music;*   la música folklórica   *folk music*
   musical   *musical*
el músico   *musician*
   muy   *very*

N

   nacer   *to be born*
   nacido,–a   *born*
   nacional   *national*
   nada   *nothing; at all;*   de nada   *don't mention it;*   para nada   *(not) at all*
   nadar   *to swim*
   nadie   *no-one*
la naranja   *orange*
la natación   *swimming*
las natillas   *egg custard*
   naturalmente   *naturally, of course*
la Navidad   *Christmas*
   necesario,–a   *necessary*
   necesidad: por necesidad   *of necessity*
   necesitar   *to need*
el negocio   *business*
   negro,–a   *black*
   nervioso,–a   *highly-strung*

el neumático   *tyre*
   ni   *nor*
la nieta   *granddaughter*
el nieto   *grandson*
los nietos   *grandchildren*
   ninguno,–a (ningún)   *no, not any, none;*   de ninguna manera   *not at all*
la niña   *(little) girl*
el niño   *(little) boy*
los niños   *boys; children*
el nivel   *level, standard;*   el paso a nivel   *level-crossing*
   no   *no; not*
   noble   *noble*
la noche   *night, evening;*   buenas noches   *good night/evening;*   de/por la noche   *at night, in the evening;*   esta noche   *tonight*
el nombre   *name*
el no-pudiente   *'have-not'*
la norma   *rule*
   normal   *normal, usual; 85 octane (petrol)*
   normalmente   *normally*
el noroeste   *north-east*
el norte   *north*
   nos   *(to) us*
   nosotros,–as   *we; us*
la nota   *note*
las noticias   *news*
la novela   *novel*
la novia   *girlfriend, fiancée*
   noviembre   *November*
el novio   *boyfriend, fiancé*
los novios   *engaged couple*
   nuestro,–a   *our*
   nuevo,–a   *new*
la nuez   *walnut*
el número   *number*
   numismático,–a   *numismatic, of coins*
   nunca   *never*

O

   o   *or*
   obligatorio,–a   *compulsory*
la obra   *work*
el obrero   *worker*

obrero,–a *working-class*
obtener (ie) *to obtain*
la ocupación *occupation*
ocupado,–a *busy*
ocuparse de *to be responsible for*
odiar *to hate*
el oeste *west*
oferta: en oferta *on (special) offer*
oficial *official*
la oficina *office;* la oficina de
    turismo *tourist office*
ofrecer *to offer*
oír *to hear;* ¡óigame! *hello? (on
    telephone)*
¡ojalá! *if only!*
el ojo *eye;* ojo a *beware of*
el ómnibus *bus; slow, stopping train*
el orden *order*
os *(to) you*
o sea *in other words, that's to say*
otro,–a *another, other (one)*
otros,–as *other(s)*
la oveja *sheep*

P

pacífico,–a *peaceful*
el padre *father*
los padres *parents*
la paella *paella*
pagado,–a *paid*
pagar *to pay*
el país *country*
el paisaje *scenery*
la palabra *word*
el palillo *toothpick*
el pan *bread;* el pan rallado
    breadcrumbs
la panadería *baker's*
los pantalones *trousers;* los
    pantalones tejanos *jeans*
el papel *(photographic) prints (*lit.
    paper)
el paquete *packet*
para *for; to;* para nada *(not)
    at all*
el parabrisas *windscreen*
la parada *rank; stop*
el parador *(State-run) hotel*
parar *to stop*

parecer: ¿qué le parece . . .?
    what do you think of . . .?
París *Paris*
el parking *car-park*
parlanchín,–ina *talkative*
el paro *unemployment*
el parque *park;* el parque de
    atracciones *amusement park;*
    el parque infantil *children's
    playground*
la parte *part;* ¿de parte de
    quién? *what name is it?; who's
    calling?;* en todas partes
    everywhere; la mayor parte
    majority
partidario (de) *keen (on)*
el partido *match*
partir: a partir de *(starting) from*
partirse *to get away*
pasado,–a *last*
el pasajero *passenger*
el pasaporte *passport*
pasar *to pass, come/go by; to spend;
    to go on, happen;* pasar la
    aspiradora *to vacuum-clean*
el pasatiempo *pastime*
pasear *to take/go for a walk; to
    stroll;* paseando *walking*
pasearse *to go for a walk*
el paseo *walk;* darse un
    paseo/ir(se) de paseo/salir de
    paseo *to go (out) for a walk*
el paso *crossing; passage;* el paso a
    nivel *level-crossing*
el pastel *cake*
la pastelería *cake shop*
la pastilla *bar; pastille*
la patata *potato;* las patatas
    fritas *chips*
la paz *peace*
el peatón *pedestrian*
pedir (i) *to ask (for)*
pelearse *to fight*
la película *film*
peligroso,–a *dangerous*
el pelo *hair*
la peluquería *hairdresser's*
la península *peninsula*
el penique *penny*
pensar (ie) *to think*
la pensión *guest-house;* la pensión

alimenticia/la pensión
completa *full board*
peor *worst; worse*
pequeño,–a *small, little*
perder (ie) *to lose*
perdón *excuse me*
perdonar: perdone *I'm sorry;
excuse me*
el periódico *newspaper*
permitido,–a *permitted*
permitir *to permit;* ¿me
permite? *may I?*
pero *but*
el perro *dog*
la persona *person*
el personaje *character*
el personal *staff*
pesado,–a *boring*
pesar *to weigh;* a pesar de *in
spite of*
la pescadería *fishmonger's*
el pescado *fish*
la peseta *peseta*
el pestiño *kind of fritter dipped in
honey*
pie: a pie *on foot*
la pila *battery*
la pimienta *pepper*
el pinar *pine-wood*
pintar *to paint*
el pintor *painter*
pintoresco *picturesque*
la pintura *painting*
la piña *pineapple*
pisar *to tread on*
la piscina *swimming-pool*
el piso *floor; flat*
la pista *track;* la pista de karts
go-cart track
plancha: a la plancha *grilled*
planchar *to iron*
el plano *plan, map*
el platillo *saucer;* el platillo
volante *flying saucer*
el plato *plate; dish; course;* en
primer plato *for first course*
la playa *beach*
la plaza *square; place;* la plaza de
toros *bull-ring;* la Plaza
Mayor *Main Square*
pobre *poor*

poco: un poco *a little, a bit;*
poco más o menos *more or less*
poco,–a *little, not much*
pocos,–as *few, not many*
poder (ue) *to be able;* (no) se
puede *one can(not)*
la policía *police*
políticamente *politically*
el pollo *chicken*
el pomelo *grapefruit*
poner* *to put (in/up/forward);*
poner interés *to show interest*
ponerse *to set*
pop: la canción pop *pop song;*
la música pop *pop music*
popular *popular*
poquito *very little;* un poquito
a little bit
por *along, around; by; for;* por
allí *over/along there; that way;*
por aquí *around here; this
way;* por ciento *per cent;*
por ejemplo *for example;* por
favor *please;* por fin *at
last;* por la mañana/la
tarde/la noche *in the
morning/afternoon/evening, at
night;* por supuesto *of course*
¿por qué? *why?*
porque *because*
el portero *porter*
la posada *inn*
posible *possible*
positivamente *definitely*
la postal *postcard*
el postre *dessert;* de/para postre
for dessert
potable *drinkable*
la práctica *practice (piece)*
prácticamente *practically*
practicar *to take part in*
el precio *price, charge*
la preciosidad *beautiful thing*
precisamente *precisely;*
precisamente aquí *right here*
precisar *to require*
predilecto,–a *favourite*
predominar *to predominate*
la preferencia *preference*
preferir (ie) *to prefer*
la pregunta *question*

preguntar *to ask*
el premio *prize*
preparar *to prepare;*
    preparando *preparing*
la presentación *introduction*
el presentador *presenter*
presentar *to introduce*
primero,–a (primer) *first;*
    standard (eggs); de primero/en
    primer plato *for first course*
principal *main*
principalmente *mainly*
prisa: tener prisa *to be in a hurry*
privado,–a *private*
el probador *fitting-room*
probar (ue) *to try (on)*
el problema *problem*
producir *to produce*
la profesión *profession;* de
    profesión *by profession*
profesional *professional*
profundamente *deeply*
el programa *programme*
prohibido *prohibited*
pronto *soon*
la propaganda *propaganda*
la propina *tip*
propósito: a propósito *by the way*
próspero,–a *prosperous*
la provincia *province*
próximo,–a *next*
publicado,–a *published*
público,–a *public*
pudiente *well-to-do*
el pueblo *village; people*
el puente *bridge*
la puerta *door(way)*
pues *well*
el puesto de socorro *first-aid
    centre/post*
puesto que *as, since*
el pulpo *octopus*
punto: en punto *precisely*

Q

que *that, which; who*
    más/menos . . . que
    more/less . . . than

¿qué? *what?; which?*
quedar *to be*
quedarse *to stay*
la queja *complaint*
querer (ie) *to want, wish;*
    quisiera *I would like;* querer
    decir *to mean*
queridísimo,–a *dearest*
querido,–a *dear*
el queso *cheese*
quien *who(ever)*
¿quién? *who?;* ¿de parte de
    quién? *what name is it?; who's
    calling?*
el quiosco *kiosk*
el quitasol *beach umbrella*
quizás *perhaps*

R

racial *racial*
la ración *portion*
radical *radical*
la radio *radio*
rápidamente *quickly*
el rápido *express train*
rápido,–a *fast*
rato: un rato *a (little) while*
el ratón *mouse*
razón: tener razón *to be right*
el real *25-céntimo coin*
realidad: en realidad *really*
el realista *realist*
realizar *to do*
realmente *really*
el rebaño *flock*
la recepción *reception*
el/la recepcionista *receptionist*
recientemente *recently*
recoger *to collect*
recomendar (ie) *to recommend*
el recorrido *run, journey*
recto: todo recto *straight on*
la red *network*
el refresco *soft drink*
el regalo *present*
el régimen *diet*
la región *region*
regional *regional*
regresar *to return*

relación: en relación con   *in relation to*

el reloj   *watch, clock*

la relojería   *watchmaker's*

el remite   *sender's address*

la reparación   *repair;*   el taller de reparaciones   *(garage) repair shop*

reparado,–a   *repaired*

reparar   *to repair*

repetir (i)   *to repeat*

representar   *to represent*

requerir (ie)   *to require*

reservado,–a   *reserved*

reservar   *to book*

la residencia   *residence*

residir   *to live*

el respeto   *respect*

respirar   *to breathe*

la respuesta   *answer*

el restaurán/restaurante   *restaurant*

el resto   *rest;*   los restos   *remains*

el resumen   *summary*

retraso: traer retraso   *to be late*

reunirse   *to get together*

la revisión   *review*

la revista   *revue; magazine*

rico,–a   *tasty; rich*

el rincón   *corner*

el río   *river*

el ritmo   *rhythm*

robar   *to steal*

el rollo   *roll*

románico,–   *Romanesque*

romano,–a   *Roman*

la romería   *procession*

el ron   *rum*

la ropa   *clothes*

rubio   *blond*

la rueda   *wheel*

el rugby   *rugby*

el ruido   *noise*

S

saber*   *to know;*   no sé   *I don't know*

el sábado   *Saturday*

sacar   *to take out; to get*

la sala de espectáculos   *place of entertainment, concert-hall*

el salario   *wage(s)*

la salida   *departure*

salir* (de)   *to come/go out; to leave*

el salón   *lounge*

la salsa bechamel   *béchamel sauce*

saltar   *to dive*

saludar: agradecido,–a le saluda   *yours sincerely;*   atentamente le saluda   *yours faithfully*

saludo: un afectuoso saludo   *kind regards*

la sangría   *sangría*

sano,–a   *healthy*

el santo   *saint;*   el día del santo   *saint's day*

santo,–a   *holy*

la sardina   *sardine*

se   *'one';*   reflexive pronoun – *oneself; himself; herself, itself; yourself*

seco,–a   *dry;*   limpiar en seco   *to dry-clean*

la secretaria   *secretary*

seguido: todo seguido   *straight on*

seguir (i)   *to go on, continue; to follow;*   seguir de . . .   *to be still . . .*

según   *according to*

segundo,–a   *second;*   de segundo   *for second course*

el seguro   *insurance;*   el seguro de terceros   *third-party insurance*

seguro,–a   *sure*

el sello   *stamp*

el semáforo   *traffic lights*

la semana   *week;*   el fin de semana   *weekend*

sencillo,–a   *single*

sentarse (ie)   *to sit (down)*

sentimental   *sentimental*

sentir (ie): lo siento   *I'm sorry*

la señal   *sign, signal*

señor   *(gentle)man; sir; Mr;*   muy señor mío   *dear sir*

señora   *lady; madam; Mrs*

señores   *ladies & gentlemen;*

señorita   *young lady; miss; Miss*

el señorito   *well-to-do young man*

septiembre   *September*

ser* *to be*
serio,–a *serious*
la serpiente *snake*
el servicio *service;* la estación de
servicio *service station;* los
servicios *toilets*
el servidor/la servidora *servant; 'at
your service'*
Sevilla *Seville*
si *if*
sí *yes;* creo que sí *I think so*
siempre *always, forever*
la sierra *mountain range*
la siesta *siesta, afternoon nap*
el sifón *soda water*
significar *to mean*
siguiente *next*
simpático,–a *friendly*
sin *without*
sincero,–a *sincere*
sino *but rather*
el sitio *place*
situado,–a *situated*
el snack-bar *snack-bar*
sobre *on (top of); over; about;*
sobre todo *above all*
el sobre *sachet; packet*
el sol *sun*
solamente *only*
el soldado *soldier*
soler (ue)+ inf. *to be in the habit
of; to . . . usually*
sólo *only*
solo,–a *alone;* el café solo
black coffee
soltero,–a *single*
la sopa *soup*
sorprender *to surprise*
sorprenderse *to be surprised*
el souvenir *souvenir*
el steak *steak*
su, sus *his, hers, its, one's; your;
their*
suave *soft*
subir *to go up; to get on*
la sucesión *succession*
suculento,–a *succulent*
el sudeste *south-east*
el suelo *floor*
suelto,–a *loose*

la suerte *luck;* ¡buena suerte!
good luck!
super *96 octane (petrol)*
el supermercado *supermarket*
suponer *to suppose*
el supositorio *suppository*
supuesto: por supuesto *of course*
el sur *south*
suyo,–a *his, hers, theirs; yours*

T

el tabaco *tobacco*
tal: ¿qué tal? *how goes it?; how's
things?;* tal vez *perhaps*
el Talgo *luxury express train*
la talla *size*
el taller *workshop;* el taller de
reparaciones *(garage) repair
shop*
el tamaño *size*
también *too, also, as well*
tampoco *neither, nor*
tan *so*
tanto *as much; so much;*
tanto . . . como *both . . . and*
tanto,–a *so much*
tantos,–as *so many*
las tapas *bar-snacks*
la taquilla *ticket office*
la taquillera/el taquillero *ticket clerk*
tardar *to be late*
tarde *late*
la tarde *afternoon; evening;*
buenas tardes *good
afternoon/evening;* de/por la
tarde *in the afternoon/evening*
la tarifa *rate, price*
tarjeta: la tarjeta de crédito
credit card
la tarta *cake;* la tarta helada *ice-
cream gateau*
el taxi *taxi*
la taza *cup*
te *(to) you*
el té *tea*
el teatro *theatre*
tejano: pantalones tejanos *jeans*
telefonear *to telephone*
la Telefónica *Telephone Company*
la telefonista *(telephone) operator*

el teléfono *telephone*
Telégrafos *Telegraph service*
el telegrama *telegram*
la televisión *television*
el televisor *television set*
temperamental *temperamental*
el temperamento *temperament*
temporal *temporary*
temprano *early*
la tendera/el tendero *shopkeeper*
tener (ie) *to have;* ¿cuántos
   años tiene(n)?/¿qué edad
   tiene(n)? *how old are/is . . .?;*
   tener ganas de + inf. *to feel
   like;* tener prisa *to be in a
   hurry;* tener que *to have to;*
   tener razón *to be right;* ¿tiene
   fuego? *do you have a light?;*
   ¿tiene hora? *do you have the
   time?*
el tenis *tennis*
la tentación *temptation*
el Ter *long-distance express train*
tercero,–a (tercer) *third;* el
   seguro de terceros *third-party
   insurance*
terminar *to finish*
la ternera *veal*
terrible *terrible*
ti *you*
el tiempo *time; weather;* a
   tiempo *on time*
la tienda *shop; tent;* la tienda de
   comestibles *grocer's*
tímido,–a *shy*
tinto,–a *red (wine)*
la tintorería *dry-cleaner's*
la tía *aunt*
el tío *uncle*
típico,–a *typical*
el tipo *type, kind*
la tirita *sticking-plaster*
el tisú *tissue*
el títere *puppet;* el títere de
   guante *glove puppet*
el titiritero *puppeteer*
la toalla *towel*
tocar *to play; to sound*
todavía *still, yet;* todavía no
   not yet

todo *all, everything;* sobre todo
   above all; todo recto/seguido
   straight on
todo,–a *all, every;* todo el
   mundo *everyone*
todos,–as *all, every; everyone;* en
   todas partes *everywhere*
tomar *to have; to take;*
   tomando *having*
el tomate *tomato*
la tómbola *tombola*
la tonelada *ton*
el toro *bull;* ir a los toros *to go to
   a bullfight;* la plaza de toros
   bull-ring
la tortilla *omelette*
el total *total;* en total *altogether*
totalmente *totally*
trabajador,–ora *hard-working*
trabajar *to work*
el trabajo *job, work*
el tractor *tractor*
traer: traer retraso *to be late*
el tráfico *traffic; movement*
el traje *suit; outfit*
el tramo *section*
tranquilamente *peacefully*
la tranquilidad *peace and quiet*
tranquilo,–a *calm; quiet, peaceful*
el transistor *transistor (radio)*
el transporte *transport*
tratar: tratar con *to deal with;*
   tratar de *to address as*
el trayecto *journey, run*
el tren *train*
triangular *triangular*
la trucha *trout*
tu *your*
tú *you*
el túnel *tunnel*
el turismo *tourism;* la oficina de
   turismo *tourist office*
el/la turista *tourist*
turístico,–a *tourist, to tourists*
el turno *shift*

U

los ultramarinos *groceries*
último,–a *last*

un, una *a, an*
único,–a *only*
la unidad *item*
la universidad *university*
universitario,–a *(of) university*
uno,–a (un) *one*
unos,–as *some, a few;* a
unos . . . minutos *about . . .*
minutes away
la urgencia *emergency*
urgente *urgent*
usted (Vd) *you*
ustedes (Vds) *you*
la uva *grape*

V

la vacación *holiday;* estar de
vacaciones *to be on holiday*
la vainilla *vanilla*
vale *OK, all right, fine*
valenciano,–a *of Valencia*
valer *to cost;* ¿cuánto vale(n)?
how much does it/do they cost?
variable *variable*
la variedad *variety*
varios,–as *several, a number of*
el varón *male*
vasco,–a *Basque*
el vaso *glass*
¡vaya! *well!*
Vd=usted *you*
Vds=ustedes *you*
el vehículo *vehicle*
vender *to sell*
venir (ie) *to come*
la venta *sale*
la ventaja *advantage*
ver* *to see; to watch;* vamos a
ver *let's see*
el verano *summer*
verdad: (no) es verdad *it's (not)*
true
verdadero,–a *real, veritable*
verde *green*
las verduras *vegetables*
el vermut *vermouth*
la 'vespa' *motor-scooter*
el vestido *dress*
el veterinario *vet*

la vez *time;* a la vez *at the same*
time; alguna vez/algunas
veces/a veces *sometimes;* de
vez en cuando *from time to*
time; otra vez *again;* tal
vez *perhaps;* unas veces
sometimes
la vía *line (railway)*
el viajante *commercial traveller*
viajar *to travel*
el viaje *journey*
la viajera/el viajero *traveller*
el vicio *vice*
la vida *life*
viejo,–a *old*
el viernes *Friday*
el vinagre *vinegar*
el vino *wine;* el vino de la casa
house wine
el violín *violin*
el violinista *violinist*
la Virgen *Virgin Mary*
visitar *to visit*
la vista *view;* hasta la vista *so long*
vivir *to live*
el volante *steering-wheel*
volar (ue) *to fly*
el voltaje *voltage*
el voltio *volt*
volver (ue) *to come/go back; to*
return; volver a+ inf. *to . . .*
again
vosotros,–as *you*
la voz *voice; shout*
el vuelo *flight*
vuestro,–a *your*

Y

y *and*
ya *now*
yo *I*
el yogurt *yogurt*

Z

el zapato *shoe*
la zona *area*

244

Key to menus

Key to breakfast menu, p. 69

Continental breakfast:	Coffee – black, with milk
	Tea – with milk, lemon
	Hot chocolate
	Bread, butter, jams
Extras: Fruit juices	Orange, lemon, grapefruit, pineapple, peach, grape, tomato
Eggs	Soft boiled
	Fried with ham

Key to menu, p. 77

Opening hours
Lunch: 1 to 3.30 pm
Dinner: 9 to 11.30 pm

Menu of the day . . .

HORS D'OEUVRES (1st group)

Mixed salad
Melon with smoked ham
Onion soup
Fish soup

DESSERTS (5th group)

Egg custard
Pancakes 'Imperial'
Baked Alaska (2 persons)
Crème caramel
Assorted ice-creams
Basket of fruit
Cheese trolley

TYPICAL REGIONAL DISHES

*Mojete
*Morteruelo
*Pisto of La Mancha
*Gazpacho of La Mancha
 Beans with partridge
 Rabbit with onions
 Roast La Mancha lamb (2 persons)

EGGS, PASTA AND VEGETABLES (2nd group)

Spinach Catalan style
Mixed vegetable casserole
Spaghetti Bolognaise
Choice of omelettes

245

FISH (3rd group)

Crayfish cocktail
Baked hake
Trout with ham

MEAT AND POULTRY
(4th group)

Veal chop Cordon Bleu
Veal cooked in Marsala
Steak au poivre
Grilled sirloin
Lamb cutlets with aïoli
Chicken with garlic
Partridge casserole
Quail with grapes

DESSERTS

*Pestiños with honey
*Alajú
Fresh curd with quince
Figs with honey and walnuts

VARIOUS

Bread	Sangría
Butter	Beer
Mineral water	Coffee
Jug of wine	Spirits
½ litre jug of wine	Infusions

---

*Mojete *Light vegetable casserole (tomatoes, peppers, garlic, oil, cumin)*
*Morteruelo *Mixed chopped meat dish (game, chicken, pork; toasted breadcrumbs, cayenne, clove, caraway seeds)*
*Pisto of La Mancha *Vegetable casserole (tomatoes, green and red peppers, marrow, onion, garlic)*
*Gazpacho of La Mancha *Mixed chopped meat and vegetable dish (partridge, rabbit, hare, ham, tomatoes, laurel, garlic, unleavened bread; raisins or grapes, peppers)*
*Pestiños *Deep fried dough (flour, oil, white wine or sherry, milk, egg yolk) dipped in honey*
*Alajú *Honey and almond or walnut cake, coated with rice paper*

Acknowledgement is due to the following for permission to reproduce illustrations
AMPLIACIONES Y REPRODUCCIONES MAS page 161; BARNABY'S PICTURE LIBRARY pages 9 & 193; RODNEY BOND pages 7, 10, 14, 16, 18, 20, 21 (both), 28, 29, 34, 54, 71, 80, 94, (both), 105 (both), 117, 118, 119, 128, 179, and front cover; MADDALENA FAGANDINI pages 23, 43, 44, 45, 55, 70, 96, 97 & 111; ARTURO RECUENCO pages 139, 141, 147, 154, 171, 178, 186, 187 & 199, RONALD SHERIDAN page 22; JAIME VELASCO page 185; DAVID WILSON pages 11, 30, 58, 67, 85, 88 (both), 100 & 131

Text illustrations and maps by Hugh Ribbans
Other diagrams by John Gilkes
Cartoons by John Cameron